In diesem Buch

geht es um die Sicht der Nazi-Zeit «von unten». Wie lebte der Durchschnittsbürger nach 1933? Was änderte sich im Alltag des «kleinen Mannes»? Wie reagierte er auf die zunehmenden Reglementierungen? Diese Veränderungen zeigten sich im Privatleben und bei der Arbeit. Das Buch stellt dar

– wie die Nazis die Jugendlichen in ihre Organisationen preßten, ihre Freizeit praktisch abschafften und sie mit ihrer Ideologie vollstopften. Um die Indoktrination komplett zu machen, wurden die Schulen umgekrempelt: Lehrer wurden ausgewechselt, Schüler lernten nach neuen Plänen;

– wie die Nazis den Arbeitern mühsam erkämpfte gewerkschaftliche Rechte ohne Federlesen entrissen und sie gemeinsam mit den Unternehmern in die «Deutsche Arbeitsfront» steckten. Durch neue Arbeitsplätze, höhere Löhne und Geld für kinderreiche Familien sollte der letzte «Volksgenosse» für das Regime gewonnen werden;

– wie sich unter den Bedingungen des Krieges die Versorgung der Bevölkerung verschlechterte und mit welchen Zwangsmaßnahmen die Nazis versuchten, Arbeitskräfte für den «Endsieg» zu mobilisieren. Die Folge war wachsender Unmut der Bevölkerung.

Mit dieser Konzeption, die die Auswirkungen des Nazi-Regimes in den Mittelpunkt stellt, soll eine tiefergreifende Betroffenheit beim Leser ausgelöst werden, als dies bei der herkömmlichen Fixierung auf die Gestalt Hitlers und anderer Nazi-Größen gelingen kann. Für junge Leute sind weniger Vorgänge in Reichskanzlei und Führerhauptquartier nachvollziehbar als die konkreten Erfahrungen, die damals ihre Altersgenossen und deren Eltern täglich machen mußten: Freiheitsräume wurden eingeschränkt, demokratische Rechte beseitigt.

Harald Focke (geb. 1950) und Uwe Reimer (geb. 1947) studierten Geschichte und Germanistik.

Harald Focke / Uwe Reimer

Alltag
unterm Hakenkreuz

Wie die Nazis das Leben
der Deutschen veränderten

Ein aufklärendes Lesebuch

Rowohlt

rororo aktuell
Herausgegeben von Frank Strickstrock

Originalausgabe

97.–98. Tausend Mai 1999

Veröffentlicht im Rowohlt Taschenbuch Verlag GmbH,
Reinbek bei Hamburg, Mai 1979
Copyright © 1979 by Rowohlt Taschenbuch Verlag GmbH,
Reinbek bei Hamburg
Alle Rechte vorbehalten
Quellennachweise über die einzelnen Beiträge auf Seite 190
Die Rechte der Zeichnungen von Kurt Halbritter
(aus: «Adolf Hitlers Mein Kampf») liegen beim
Hanser Verlag, München
Umschlaggestaltung Susanne Heeder/Philipp Starke
(Foto: Ullstein Bilderdienst)
Satz Times (Linotron 505 C)
Gesamtherstellung Clausen & Bosse, Leck
Printed in Germany
ISBN 3 499 14431 X

Inhalt

Arbeit

Versorgung

Vorbemerkung

Dies Buch ist ein «Gegenbuch»: Es richtet sich

– gegen die Reduzierung der Nazi-Herrschaft auf die Person Hitlers, dessen «Karriere» der Fest-Film feiert und dessen «Leistungen» und «Erfolge» Haffner würdigt. Diese Verengung des Blickwinkels ist gefährlich, weil so getan wird, als ob politische Entscheidungen nur von «großen Männern» getroffen würden. Dies bestärkt gerade junge Menschen von heute in ihrer oft resignativen Einstellung: «Die da oben machen ja doch, was sie wollen.» Die vorhandenen Mitwirkungsmöglichkeiten, seien sie auch noch so vermittelt, bleiben ungenutzt;

– gegen die Verharmlosung und Glorifizierung des «Dritten Reiches», wie sie in den nostalgischen Propagandabroschüren des John Jahr-Verlags gang und gäbe ist. Wer dies duldet, darf sich nicht wundern, daß Gewalt in unserer Gesellschaft wieder attraktiv wird;

– gegen Schulgeschichtsbücher, in denen die NS-Diktatur routiniert abgehandelt wird wie ein x-beliebiges Thema. Dies kann bei Schülern den Eindruck erwecken, als gäbe es keinen qualitativen Unterschied zwischen dem Kodex Hammurabi und dem Ermächtigungsgesetz und seinen Folgen;

– gegen die platte Gleichsetzung von «bürgerlicher» und «faschistischer» Herrschaft durch Kühnl, dessen unhistorische Betrachtungsweise vernebelt, wie grundsätzlich anders Alltag unter Nazis damals und Sozial-Liberalen heute aussieht.

Uns geht es um eine Sicht der Nazi-Zeit «von unten». Wie lebte der Durchschnittsbürger nach 1933? Was änderte sich im Alltag des «kleinen Mannes»? Wie reagierte er auf die zunehmenden Reglementierungen? Spürbar waren diese Veränderungen im privaten Bereich und bei der Arbeit. Wir zeigen,

– wie die Nazis die Jugendlichen in ihre Organisationen preßten, ihre Freizeit praktisch abschafften und sie mit ihrer Ideologie vollstopften. Um die Indoktrination komplett zu machen, wurden die Schulen umgekrempelt: Lehrer wurden ausgewechselt, Schüler lernten nach neuen Plänen;

– wie die Nazis den Arbeitern mühsam erkämpfte gewerkschaftliche Rechte ohne Federlesens entrissen und sie gemeinsam mit den Unternehmern in die «Deutsche Arbeitsfront» steckten. Durch neue Arbeitsplätze, höhere Löhne und Geld für kinderreiche Familien sollte auch der letzte «Volksgenosse» für das Regime gewonnen werden;

– wie sich unter den Bedingungen des Krieges die Versorgung der Bevölkerung verschlechterte und mit welchen Zwangsmaßnahmen die Nazis versuchten, Arbeitskräfte für den «Endsieg» zu mobilisieren. Die Folge war wachsender Unmut der Bevölkerung.

Mit dieser Konzeption, die die Auswirkungen des Nazi-Regimes in den Mittelpunkt stellt, soll eine tiefergehende Betroffenheit beim Leser ausgelöst werden, als dies bei der herkömmlichen Fixierung auf die Gestalt Hitlers und anderer Nazi-Größen gelingen kann. Gerade wer junge Leute betroffen machen will, muß Situationen aufzeigen, in die sie sich hineinversetzen können. Nachvollziehbar sind für sie weniger Vorgänge in Reichskanzlei und Führerhauptquartier als die konkreten Erfahrungen, die ihre Altersgenossen und deren Eltern damals täglich machen mußten: Freiheitsräume wurden eingeschränkt, demokratische Rechte beseitigt.

Wer wie Mosse lediglich «Zeitungsartikel, Redemanuskripte, offizielle Verlautbarungen, Gesetzestexte» zusammenstellt, kann «nationalsozialistischen Alltag» nicht einfangen. Notwendig sind Quellen, in denen möglichst der «kleine Mann» zu Wort kommt. Wir berücksichtigen Tagebücher und Briefe, die Zeitgenossen hinterlassen haben. Stehen keine geeigneten Äußerungen zur Verfügung, werten wir Memoiren und Interviews aus. Ein zuverlässiges Bild von der Stimmung der Bevölkerung, ihren Sorgen und Wünschen, geben auch die ungeschminkten Berichte unterer Dienststellen. Meist sind sie in umfangreichen und teuren Quellensammlungen versteckt (Beispiel: Masons ‹Arbeiterklasse und Volksgemeinschaft›, 1299 Seiten, 148 DM!). Wir wählen einige wichtige Dokumente aus, um sie einer breiteren Öffentlichkeit zugänglich zu machen.

In einigen Kapiteln beschränken wir uns auf regionale und lokale Beispiele. Sie mögen nicht immer repräsentativ für das ganze Reich sein, sie erhöhen aber die Anschaulichkeit.

Unser Buch deckt nicht den ganzen «Alltag unterm Hakenkreuz» ab. Wir haben vor, in einem zweiten Band zu zeigen, wie

– Pfarrer ihre Gemeindearbeit verrichteten,
– Redakteure ihre Zeitungen füllten,
– Richter zu ihren Urteilen kamen,
– Juden ihre Entrechtung erlitten,
– Nazi-Gegner den Widerstand organisierten,
– KZ-Häftlinge den SS-Schergen ausgeliefert waren und
– die Bevölkerung in den besetzten Gebieten terrorisiert wurde.

Focke/Reimer, im Januar 1979

Jugend

«Was ihr jetzt lernt, könnt ihr später immer wieder gebrauchen»
(Aus: Kurt Halbritter: Adolf Hitlers Mein Kampf)

Nach dem 30. Januar 1933:
... schon bald im braunen Hemd dabei

Am 30. Januar 1933 war Hitler am Ziel: Reichspräsident von Hindenburg hatte ihn zum Kanzler ernannt. Der Propagandaleiter der NSDAP, Dr. Goebbels, nutzte den Tag geschickt: Schon am späten Nachmittag mobilisierte er in Berlin die nationalsozialistischen Kampfverbände zu gewaltigen Siegesfeiern und Fackelzügen. Zehntausende von SA-Männern marschierten stundenlang an der Reichskanzlei vorbei. Lieder aus der Kampfzeit, die Nationalhymne und Sprechchöre mit den politischen Forderungen Hitlers hallten dem neuen Kanzler entgegen, als er vom Fenster seines Amtssitzes seine Braunhemden vorüberziehen sah. Der Rundfunk berichtete ausführlich, die Wochenschau zeigte wenige Tage später die Berliner Ereignisse auch in den Provinzkinos.

Wie wirkte der Tag der sogenannten «Machtergreifung» auf Jugendliche? Wie verarbeiteten sie ihre Eindrücke und welche Konsequenzen zogen sie? Hans Günter Zmarzlik erinnert sich, wie er das letzte Jahr der Weimarer Republik in der Provinz erlebte und wie der 30. Januar und die Zeit danach auf ihn und die Menschen seiner Umgebung wirkte:

«Mein Horizont war zu Beginn der dreißiger Jahre in vieler Hinsicht begrenzt. Ich wohnte in einem größeren Dorf im Norden von Berlin: Friedrichstal, einer Gründung des ersten Königs von Preußen. Dort lebten Kleinbauern, Binnenschiffer und Pensionäre aus der untersten Mittelschicht. Die Schulstadt, Oranienburg, hatte Industrie, war aber mit ihren etwa 16000 Einwohnern kaum mehr als ein unbedeutendes Nest, dessen Randlage zur Großstadt Berlin ein geistig-kulturelles Eigenleben nicht zur Entfaltung kommen ließ. Hierhin gelangte nur abgeschwächt und provinziell gefiltert, was die Zeit bewegte und aufregte.

In Oranienburg ging ich seit 1932 ins Realgymnasium. Hier begann ich zu spüren, daß es Politik gab. Die Parteien warben in dieser Krisenzeit mit einer Plakatflut, deren Ausläufer selbst unser Dorf erreichten. Voran standen die SPD und die Nationalsozialisten. Die SPD zeigte drei weiße Pfeile auf rotem Grund. Sie warb mit der Formel: Wer Hitler wählt, wählt den Krieg! Von der NS-Propaganda machte mir ein Plakat besonderen Eindruck: zwei gewaltige Fäuste, die eine Kette sprengten, und dazu das Versprechen nationaler Einheit und Stärke.

Dann die Aufmärsche! Selten und wenig begeisternd zeigten sich Deutschnationale oder Sozialdemokraten. Bei ihnen gab es zu viele beleibte Bürger, und das bißchen Stahlhelm oder Reichsbanner Schwarz-Rot-Gold, das uniformiert und straffer marschierend dabei war, machte auf den jugendlichen Betrachter zwar einigen Eindruck, wurde jedoch weit in den Schatten gestellt von SA und Rotfront. Dort marschierten die jungen Leute mit. Sie traten schneidig auf und forderten sich gegenseitig heraus. Wo immer die Schalmeienkapelle der Kommunisten die Internationale spielte, tönte gleich Blasmusik mit dem ‹Horst-Wessel-Lied› dagegen an. Man rief sich Schimpfworte zu, manchmal gab es auch Schlägereien. Doch die SA hatte eindeutig die Oberhand. Das entsprach dem kleinbürgerlichen Zuschnitt der Gegend. Mit Siegerschritt zog sie durch die Straßen und brüllte im Chor: Deutschland erwache! Juda verrecke!

Das hielt am Wochenende die Menschen auch im Dorf in Bewegung. Selbst der Zehnjährige ahnte etwas davon, daß die Welt aus den Fugen war. Ende 1932 vermehrten sich rasch die schwarz-weiß-roten Fahnen, auch das Hakenkreuz tauchte häufiger an den Kleinbürgerhäusern auf. Nach dem 30. Januar 1933 war das Dorf voll davon. Wir zeigten noch die Drei-Pfeile-Fahne der SPD vom Balkon. Doch fühlte ich, daß meinem Vater nicht wohl dabei war.

Das Schwarz-Rot-Gold der Republik war wie weggefegt. Ich bin Anfang Februar mit einem Trupp der dörflichen SA mitgelaufen, der vor dem Schulhaus aufmarschierte und dem Hauptlehrer barsch befahl: Her mit dem schwarz-rot-goldenen Fetzen! Den wollte man öffentlich verbrennen. Das mißlang. Der Sturmführer, unser Nachbar, ein kleiner Bankangestellter, der seine Frau prügelte, warf das Fahnentuch einem SA-Mann zu: ‹Steck's zu Haus den Ofen!›

Die große Szene war verpatzt. Mich freute das: denn mein Vater war Sozialdemokrat. Kein klassenkämpferischer Proletarier; eher ein verhinderter Bürger, den eine harte Jugend als Kleinbauernsohn im sozial rückständigen Oberschlesien nach links getrieben hatte. Über den schweren Weg der Abendschule mußte er sich den beruflichen Aufstieg erkämpfen.

Sein Vorbild war Ebert, nicht Marx. Er wollte einen sozialeren Staat, aber auch Recht und Ordnung, Privateigentum und Religion. Den Tod Stresemanns wertete er als nationales Unglück. Er wollte ‹ein Sohn des Volkes sein und bleiben›, wie es in einem sozialdemokratischen Lied hieß, das er gerne sang. Er lehnte die Nazis ab, weil sie brutale Radaubrüder und geistig primitiv seien. Er achtete jedoch den greisen Feldmarschall von Hindenburg, dessen Fotografie mit Namenszug goldgerahmt neben der von Ebert in unserer ‹guten

Stube› hing. Meine Mutter hielt es nur mit Hindenburg. Sie war eine Lehrerstochter aus Westpreußen – politisch uninteressiert, doch den Rangordnungen des Kaiserreichs von ihrer Jugend her verpflichtet geblieben.

Aus dieser kleinbürgerlichen, aber auch sozialkritisch bestimmten Perspektive blickte ich in die neue Zeit, die jetzt anbrach. Ich sah, wie sich das Bild in der Schule wandelte. Das konnte man mit Händen greifen. Immer mehr Schüler und Lehrer hoben die Hand zum Hitlergruß. Im März 1933 waren es nur noch wenige, die diese Geste nicht mitmachten. Ich gehörte dazu und kam mir irgendwie heldisch vor.

Charakteristisch ist, wie schnell es damit zu Ende ging. Meine dörflichen Freunde, meine Klassenkameraden im Gymnasium waren meist schon im ‹Jungvolk›, trugen Uniform und erzählten die abenteuerlichsten Dinge von dem, was sie da machten. Schon nach ein paar Wochen war ich im braunen Hemd mit dabei.

Vieles war nicht so schön, wie ich es mir vorgestellt hatte. Aber es gab doch genug, was ansprach: Gemeinschaft, in der man sich bestätigt fühlte; Verantwortung und Führungsaufgaben, die das Selbstbewußtsein und den Ehrgeiz befriedigten. Auch sonst war manches, was nun geschah, ganz unsere Sache. Mit Vergnügen nahmen wir von den Schülermützen Abschied, die bis dahin den Gymnasiasten so auffällig vom Volksschüler abhoben. Mit Begeisterung standen wir am lodernden Holzstoß bei Sonnenwendfeiern, fieberten den Sportfesten entgegen, erlebten die Olympiade von 1936 als einen nationalen Triumph.

Noch in der Weimarer Zeit war uns in der Volksschule die demütigende Lage unserer Nation seit dem ‹Schanddiktat› von Versailles eingeprägt worden. Um so befreiender nun das Gefühl, daß es damit vorbei war. Es ging aufwärts, und wir waren die ‹Garanten der Zukunft›. Faktisch bedeutete das wenig, denn Familie und Schule blieben für uns letztlich bestimmend wie vordem. Aber dem wackligen Selbstgefühl der Adoleszenz kam es gelegen, den Widerstand der Älteren als Blindheit gegenüber der neuen Zeit abzuwerten. Unwillkürlich festigte sich damit unsere Loyalität zu Hitlers Staat.»[1]

1963 veröffentlichte Melita Maschmann einen Rechenschaftsbericht über ihre Tätigkeit in der Zeit des Nationalsozialismus, ihren Weg in die Hitler-Jugend, wie sie Arbeitsdienstführerin im Warthegau und schließlich Pressereferentin des Bundes Deutscher Mädel in der Reichsjugendführung wurde. Melita Maschmanns Erinnerungen gehören zu den wenigen Auseinandersetzungen ehemaliger Nazis mit ihrer Aktivität im «Dritten Reich».

«30. Januar 1933 . . .

An diesem Tag sollte die Hausschneiderin ein Kleid meiner Mutter so ändern, daß ich es tragen konnte. Vor den ermüdenden Anproben fürchtete ich mich, aber die Schneiderin mochte ich gern. Daß sie lahmte und einen Buckel hatte, unterschied sie von allen anderen Menschen meiner Umgebung, und ich empfand einen unklaren Zusammenhang zwischen ihrer körperlichen Besonderheit und dem, was sie selbst ihre ‹sozialistische Gesinnung› nannte.

Der Tisch, an dem ich meine Schularbeiten machte – ich war damals gerade eben fünfzehn Jahre alt geworden –, stand neben ihrer Nähmaschine, und wenn meine Mutter uns allein gelassen hatte, sprach sie manchmal über ihre politische Betätigung. Unter dem Aufschlag ihres Mantelkragens steckte, solange ich sie kannte, ein metallgestanztes Hakenkreuz. An diesem Tag trug sie es zum erstenmal offen zur Schau, und ihre dunklen Augen funkelten, als sie von dem Sieg Hitlers sprach. Meine Mutter reagierte mit Mißbehagen. Sie fand es anmaßend, wenn ungebildete Leute sich mit Politik abgaben.

Aber gerade, daß diese Frau zu den kleinen Leuten gehörte, machte sie für mich anziehend. Ich fühlte mich aus demselben Grund zu ihr hingezogen, aus dem ich manchmal auch für unser Dienstmädchen und gegen meine Mutter innerlich Partei nahm. Heute weiß ich, daß der Widerstand gegen jede Äußerung bürgerlichen Standesdünkels, der sich früh in mir bildete, von der Auflehnung gegen die autoritäre Erziehungsweise meiner Mutter gespeist wurde. Sie erwartete von ihren Kindern den gleichen fraglosen Gehorsam, den sie von den Dienstmädchen oder dem Chauffeur unseres Vaters forderte. Durch diese Haltung drängte sie mich früh in die Opposition, die nicht nur pubertätsbedingten persönlichen Charakter hatte, sondern sich auch gegen das von meinen Eltern repräsentierte ‹Bürgertum› richtete.

Auf die Frage, welche Gründe junge Menschen damals veranlaßt haben, Nationalsozialisten zu werden, wird es viele Antworten geben. Vermutlich hat der Gegensatz der Generationen und das Zusammentreffen der Hitlerschen Machtübernahme mit einem bestimmten Pubertätsstadium dabei oft eine Rolle gespielt. Für mich war es ausschlaggebend: ich wollte einen anderen Weg gehen als den konservativen, den mir die Familientradition vorschrieb. Im Mund meiner Eltern hatte das Wort ‹sozial› oder ‹sozialistisch› einen verächtlichen Klang. Sie sprachen es aus, wenn sie sich darüber entrüsteten, daß die bucklige Hausschneiderin so

16

anmaßend war, sich politisch betätigen zu wollen. Am 30. Januar 1933 verkündete sie, daß jetzt eine Zeit anbrechen würde, in der die Dienstmädchen nicht mehr am Küchentisch essen müßten. Meine Mutter hat stets vorbildlich für ihre Angestellten gesorgt, aber es wäre ihr absurd vorgekommen, Tischgemeinschaft mit ihnen zu haben.

Keine Parole hat mich je so fasziniert, wie die von der Volksgemeinschaft. Ich habe sie zum erstenmal aus dem Mund der verkrüppelten und verhärmten Schneiderin gehört, und am Abend des 30. Januar bekam sie einen magischen Glanz. Die Art dieser ersten Begegnung bestimmte ihren Inhalt: Ich empfand, daß sie nur im Kampf gegen die Standesvorurteile der Schicht verwirklicht werden konnte, aus der ich kam, und daß sie vor allem den Schwachen Schutz und Recht gewähren mußte. Was mich an dieses phantastische Wunschbild band, war die Hoffnung, es könnte ein Zustand herbeigeführt werden, in dem die Menschen aller Schichten miteinander leben würden wie Geschwister.

Am Abend des 30. Januar nahmen meine Eltern uns Kinder – meinen Zwillingsbruder und mich – mit in das Stadtzentrum. Dort erlebten wir den Fackelzug, mit dem die Nationalsozialisten ihren Sieg feierten. Etwas Unheimliches ist mir von dieser Nacht her gegenwärtig geblieben.

Das Hämmern der Schritte, die düstere Feierlichkeit roter und schwarzer Fahnen, zuckender Widerschein der Fackeln auf den Gesichtern und Lieder, deren Melodien aufpeitschend und sentimental zugleich klangen. Stundenlang marschierten die Kolonnen vorüber, unter ihnen immer wieder Gruppen von Jungen und Mädchen, die kaum älter waren als wir. In ihren Gesichtern und in ihrer Haltung lag ein Ernst, der mich beschämte. Was war ich, die ich nur am Straßenrand stehen und zusehen durfte, mit diesem Kältegefühl im Rükken, das von der Reserviertheit der Eltern ausgestrahlt wurde? Kaum mehr als ein zufälliger Zeuge, ein Kind, das noch Jungmädchenbücher zu Weihnachten geschenkt bekam. Und ich brannte doch darauf, mich in diesen Strom zu werfen, in ihm unterzugehen und mitgetragen zu werden ... In diesem Alter findet man sein Leben, das aus Schularbeiten, Familienspaziergängen und Geburtstagseinladungen besteht, kümmerlich und beschämend arm an Bedeutung. Niemand traut einem zu, daß man sich für mehr interessiert, als für diese Lächerlichkeiten. Niemand sagt: Du wirst für Wesentlicheres gebraucht, komm! Man zählt noch nicht mit, wo es um ernste Dinge geht.

Aber die Jungen und Mädchen in den Marschkolonnen zählten mit. Sie trugen Fahnen wie die Erwachsenen, auf denen die Namen ihrer Toten standen.

Irgendwann sprang plötzlich jemand aus der Marschkolonne und schlug auf einen Mann ein, der nur wenige Schritte von uns entfernt gestanden hatte. Vielleicht hatte er eine feindselige Bemerkung gemacht. Ich sah ihn mit blutüberströmtem Gesicht zu Boden fallen, und ich hörte ihn schreien. Eilig zogen uns die Eltern fort aus dem Getümmel, aber sie hatten nicht verhindern können, daß wir den Blutenden sahen. Sein Bild verfolgte mich tagelang. In dem Grauen, das es mir einflößte, war eine winzige Zutat von berauschender Lust: ‹Für die Fahne wollen wir sterben›, hatten die Fackelträger gesungen. Es ging um Leben und Tod. Nicht um Kleider oder Essen oder Schulaufsätze, sondern um Tod und Leben. Für wen? Auch für mich? Ich weiß nicht, ob ich mir diese Frage damals gestellt habe, aber ich weiß, daß mich ein brennendes Verlangen erfüllte, zu denen zu gehören, für die es um Tod und Leben ging.

Wenn ich den Gründen nachforsche, die es mir verlockend machten, in die Hitler-Jugend einzutreten, so stoße ich auch auf diesen: Ich wollte aus meinem kindlichen, engen Leben heraus und wollte mich an etwas binden, das groß und wesentlich war. Dieses Verlangen teilte ich mit unzähligen Altersgenossen . . . Meine Eltern lehnten die Weimarer Republik ab. Bewußt und unbewußt lenkten sie das Augenmerk ihrer Kinder auf jene Tatsachen, die geeignet waren, das neue System in Mißkredit zu bringen. Sie selbst starrten nur auf die Fehlschläge und hatten keinen Blick für den verzweifelten Kampf der Männer, die die Republik retten wollten. Auch die ungewöhnlich reiche Entfaltung der geistigen und künstlerischen Schöpfungskraft jener Jahre kam ihnen nicht zu Bewußtsein . . .

Alle Ereignisse . . . wirkten in der gleichen Richtung: sie bereiteten mich vor auf jenen unheimlichen und faszinierenden Appell des 30. Januar 1933, dem ich nicht widerstehen konnte, obwohl ich noch ein Kind und keineswegs ein frühreifes war.

Ich glaubte den Versprechungen der Nationalsozialisten, daß sie die Arbeitslosigkeit und damit die Not von sechs Millionen Menschen beseitigen würden. Ich glaubte ihnen, daß sie das deutsche Volk aus der Zersplitterung von mehr als vierzig politischen Parteien zu einer Einheit zusammenführen und daß sie die Folgen des Versailler Diktats überwinden würden. Wenn mein Glaube sich im Januar 1933 nur auf eine Hoffnung stützen konnte, so schien er bald genug auf Tatsachen hinweisen zu können . . . Die im Bürgertum heranwachsende Generation, die bei der Machtergreifung Hitlers auf der Schwelle zwischen Kindheit und Jugend stand, war in einer verhängnisvollen Weise darauf vorbereitet ... ein Opfer seiner ‹Ideen› zu werden; auch wenn die Eltern dieser Generation dem Nationalsozialismus feindlich gesonnen waren.»[2]

Die «Gleichschaltung» der Jugend

Es begann mit einem Überfall

«Berlin, am frühen Vormittag des 5. April 1933. Ein Lastwagen, beladen mit jungen Leuten in braunen Uniformen, (fährt) . . . durch die Alsenstraße.

Obergebietsführer Karl Nabersberg läßt Eingang und Flur besetzen und dringt mit einem ausgesuchten Rollkommando in das Haus ein. Hinter ihm schwenkt ein Junge einen alten Karabiner. In den Geschäftsräumen des ‹Reichsausschusses der deutschen Jugendverbände›, dem auf Befehl Baldur von Schirachs [Reichsjugendführer der NSDAP] dieser Überfall gilt, finden sie Frau Helene Gehse, die uns als Zeugin berichtete, zwei Stenotypistinnen, die Buchhalterin und einen Büroboten. Frau Gehse macht sich als Stellvertreterin des Geschäftsführers bekannt. Nabersberg verlangt barsch den Vorstand zu sprechen. Frau Gehse bedauert: Die ehrenamtlichen Vorstandsmitglieder haben keine festen Bürostunden und kommen nur unregelmäßig in die Dienststelle. Dann solle Hermann Maaß, der Geschäftsführer, schleunigst geholt werden, befiehlt Nabersberg ärgerlich.

Hermann Maaß war um diese Zeit noch in Wilmersdorf bei Generalmajor a. D. Ludwig Vogt, dem Vorsitzenden des Reichsausschusses. Maaß stammte aus der sozialistischen Arbeiterjugend und war, ebenso wie Frau Gehse und andere Mitarbeiter, Mitglied der Sozialdemokratischen Partei . . .

Als Hermann Maaß eintrifft, empfangen ihn Vorwürfe und Drohungen. Er will antworten, doch Nabersberg schreit ihn an: ‹Halten Sie hier keine großen Reden! Packen Sie Ihre Sachen und machen Sie, daß Sie nach Hause kommen!›

‹Ich werde nie vergessen›, berichtet Frau Gehse, ‹mit welch todtraurigem Blick Hermann Maaß damals Nabersberg in die Augen sah . . . Ich selbst bekam den Befehl, mich nicht aus meinem Zimmer zu rühren. Als Bewachung wurde mir ein kleiner Hitler-Junge gegenübergesetzt, dem seine Situation auch nicht sehr behaglich zu sein schien. Jedenfalls fragte er einmal sehr schüchtern, ob er wohl sein Butterbrotpapier in meinen Papierkorb werfen dürfe.›

Nabersberg und sein Kommando durchwühlen inzwischen alle Räume. Zahlreiche amtliche Veröffentlichungen des Reichsausschusses und alle Jahrgänge seiner Zeitschrift *Das junge Deutschland* werden beschlagnahmt. Um ungestört zu sein, schickt man die fünf Angestellten zunächst für drei Tage nach Hause.

‹Als ich wieder im Büro erschien›, berichtet Frau Gehse, ‹rief mich Nabersberg in sein Zimmer, legte seine Pistole vor sich auf den Schreibtisch und fragte mich, ob ich bereit sei, unter seiner Leitung weiterzuarbeiten. Ich hatte mich inzwischen mit Hermann Maaß getroffen und erklärte mich auf seinen Rat dazu bereit. Er legte Wert darauf, laufend Informationen über die weitere Entwicklung, insbesondere die Tätigkeit der späteren Reichsjugendführung zu erhalten.›»[3]

Die Hitler-Jugend wollte nach der Machtergreifung nicht mehr bloße Parteijugend sein, sondern «Staatsjugend» werden. Deshalb galt Nabersbergs Aktion auch dem «Reichsausschuß der deutschen Jugendverbände», der die meisten Verbände und Bünde der deutschen Jugendbewegung repräsentierte und fünf bis sechs Millionen Jugendliche vertrat.

Mit dem Überfall auf die Geschäftsstelle des Reichsausschusses hatte der Generalangriff der HJ gegen alle konkurrierenden Verbände begonnen. Schon wenige Tage nach dem 5. April schloß von Schirach die jüdischen und sozialistischen Jugendverbände aus dem Reichsausschuß aus. Bald darauf wurden die politischen Jugendverbände zusammen mit entsprechenden Erwachsenenverbänden oder Parteien aufgelöst oder verboten, so die «Sozialistische Arbeiterjugend» (SAJ) der SPD, aber auch der deutschnationale «Scharnhorstbund». Die Jugendorganisation der KPD, der «Kommunistische Jugendverband Deutschlands» (KJVD), war schon vorher verschwunden. Wie die Mutterpartei war sie nach dem Reichstagsbrand im Februar 1933 auf Grund der «Verordnung des Reichspräsidenten zum Schutze von Volk und Staat» verboten worden.

Allerdings: Die politisch nicht gebundenen, unabhängigen Jugendbünde widersetzten sich noch dem Herrschaftsanspruch der HJ. Ein großer Teil dieser Bünde hatte sich angesichts des wachsenden Drucks im «Großdeutschen Bund» zusammengeschlossen. Die hier vereinigten Bünde hofften, um die Auflösung herumzukommen, wenn sie sich entschieden zum Dritten Reich bekannten. In einem Aufruf wurde Hitler und dem NS-Staat die Treue gelobt, und für eine kurze Zeit sah es so aus, als wolle der «Großdeutsche Bund» die HJ rechts überholen. Umsonst: Am 17. Juni 1933 ernannte Hitler Schirach zum «Reichsjugendführer des Deutschen Reiches» mit Kommandogewalt über sämtliche Jugendorganisationen – noch am selben Tag löste Schirach den Großdeutschen Bund auf.

Rückzug in die Wälder
Die deutsche Jugendbewegung

Das preußische Städtchen Steglitz zwischen Potsdam und Berlin
war Ausgangspunkt jener Rebellion, die man «Jugendbewegung»
nennt. Aus einem Schülerstenografenverein am Steglitzer Gymnasium bildete sich um 1900 die erste Gruppe der Bewegung, der
«Wandervogel». Wie fahrende Scholaren des Mittelalters zogen
die jungen Leute hinaus in die Natur, in die Stille und Einsamkeit
der Wälder und Berge.

Nach dem Steglitzer Vorbild wurden bald weitere Gruppen
gegründet, besonders von der akademischen Jugend. 1912 zählten
die Wandervogelverbände bereits 12 000 Mitglieder. Ihre Erken-
nungszeichen: Zupfgeige und Volkslied, Fahrtenkittel und Lager-
feuer. Den Mittelpunkt des Gruppenlebens bildeten gemeinsame
Fahrten. «Mit uns zieht die neue Zeit», beginnt eines ihrer typischen Lieder.

Mit ihrer neuen Lebensform demonstrierten die Jungen gegen
eine Gesellschaft, die ihnen keine Entfaltungsmöglichkeiten bot.
Ihr Protest richtete sich – mehr gefühlsbetont als rational – gegen
die überholte Moral und behäbige Selbstzufriedenheit der älteren
Generation, gegen die naturfremde Großstadtatmosphäre, gegen
den sturen Paukbetrieb der Schulen, gegen einen als Fortschritt
mißverstandenen wirtschaftlichen Aufschwung und die über-
schwengliche Vergottung des preußisch-deutschen Obrigkeits-
staates. Statt Unterwerfung unter eine reglementierte Ordnung
forderte die Jugend für sich das Recht, «aus eigener Bestimmung . . . ihr Leben zu gestalten».

Ein politisches Programm gab es nicht. Von Anfang an waren
sich die jungen Leute zwar einig in dem, was sie ablehnten, nicht
aber in ihren Zielen. Alle Bemühungen, die Jugendbewegung
zusammenzufassen oder auf verbindliche Pläne festzulegen, schei-
terten. Dennoch blieb die Jugendbewegung attraktiv. Auch in der
Nachkriegszeit wanderte ihr die Jugend in Scharen zu. Über vier
Millionen waren in den Organisationen der verschiedensten Art
erfaßt: von Parteigliederungen über kirchliche Verbände bis hinein in die freien Bünde. Den Kern bildeten die Mitglieder der
bündischen Jugend, um 1927 etwa 55 000.

Die romantische Selbstbegrenzung auf Fahrten, Feuer, Freundschaft und Lied war politisch bedenklich. Nur zu leicht konnten

reaktionäre Parolen auf fruchtbaren Boden fallen. Heftig hatten viele Wortführer der Jugendbewegung autoritäres Führertum und die Idylle des flachen Landes gepriesen und Demokratie und Industriegesellschaft ignoriert. Der «Rückzug in die Wälder» wurde einer aktiven Auseinandersetzung mit den herrschenden Mißständen vorgezogen. So kreuzte die angeblich unpolitische Jugendbewegung mit vollen Segeln in den Gewässern der Reaktion.

In begrenzten Bereichen hat die Jugendbewegung die Gesellschaft mindestens zeitweilig verändert. Die Wiederentdeckung von Volkslied, Laienspiel und Volkstanz, die Pflege der Hausmusik, die Einrichtung von Jugendherbergen und Landschulheimen und die Formulierung einer neuen die ganze Persönlichkeit des einzelnen erfassende Pädagogik gehen auf Anregungen der Jugendbewegung zurück.

Viele bündische Jugendliche, unter ihnen zahlreiche Führer, traten in die HJ über, nicht selten mit nur verschwommenen Kenntnissen über die Ziele der NSDAP, aber überzeugt, nur so ihre alten Freundschaften bewahren zu können. Von einer geplanten Unterwanderung oder Widerstandsaktion konnte keine Rede sein. Nur vereinzelt gab es Versuche, bündische Arbeit im Jungvolk getarnt weiterzuführen:

«Zu Beginn des Jahres 1933 existierten in K. Gruppen fast aller Bünde ... zusammen umfaßten wir etwa 150 Jungen, hatten ein gemeinsames Heim ... Als wir am 1. Mai 1933 aufgefordert wurden, an der Mai-Demonstration teilzunehmen, marschierten etwa vierhundert Jungen und hundert Mädel der bündischen Jugend in K. in einheitlich weißer Festtracht mit. Pfingsten 1933 machten wir zusammen mit dem DPB [Deutscher Pfadfinder Bund] und der Deutschen Freischar ein Lager. Am zweiten Tag unseres Lagers erfuhren wir vom Verbot des Großdeutschen Bundes, dem Freischar und DPB ja angehörten. Diese beiden Gruppen beschlossen daraufhin ihre Auflösung. Unsere Gruppe fuhr sofort im Gewalttramp nach Hause, räumte nachts unser Heim aus – als am Morgen um sechs Uhr alle Heime der bündischen Jugend von der HJ besetzt wurden, fand diese unser Heim restlos ausgeräumt vor ...

In den anschließenden Monaten versuchten die Bündischen ... das Marinejungvolk (‹Blaues Jungvolk› genannt), in die Hand zu bekommen, was zunächst auch völlig gelang. Daneben bestand unsere Horte illegal weiter ...

Wir selbst stellten in K. im Steindruckverfahren gefälschte HJ-Ausweise mit Schirachs Namenszug her und versorgten sämtliche erreichbaren illegalen Gruppen mit diesen Ausweisen. Die Sommerfahrt 1933 benutzten wir dazu, mit anderen aktiven Gruppen in anderen Städten Verbindungen anzuknüpfen. Nach einer Feierstunde unserer Gruppe am 1. November 1933 kam es zu einer Großaktion der HJ auf unsere Horte, die sich zu einer mehrstündigen Straßenschlacht entwickelte. Als die reguläre Polizei eingreifen wollte (damals noch nicht unbedingt zu unseren Ungunsten), wurde sie von höheren HJ-Führern fortgewiesen. Unsere Horte konnte sich schwer angeschlagen durchhauen, wobei Dreizehnjährige restlos zusammengeschlagen wurden und von der HJ ins Stadtparkgewässer geworfen wurden. Derartiges Geplänkel war damals bei uns noch oft an der Tagesordnung.

Pfingsten 1934 hatten wir im Bereich von Hofgeismar-Hessen ein Lager des Piratenordens und unserer Gruppe. Da dies irgendwie durchgesickert war, aber ohne genaue Ortsangabe, waren in der Gegend alle Zufahrts- und Trampstraßen von SA, HJ und Polizei besetzt und abgesperrt. Das Lager war fast im Kreis eingeschlossen. Unsere Horte und einige andere Gruppen trampten im Braunhemd, mit Jungenschaftsjacken und mit HJ-Ausweisen; bis auf drei Mann kamen wir alle durch die Absperrungen, verlegten das Lager in den Solling und führten es dort ungestört durch.

Etwa eine Woche nach diesem Lager wurde unsere Horte in K. verhaftet. Anklage: Illegale bündische Tätigkeit, marxistische Agitation und Zersetzung der HJ. Es war aber nichts nachweisbar, da alle Jungen im Jungvolk waren und bei den Vernehmungen auch Zwölf- und Dreizehnjährige eisern über die Horte dichthielten. Nach unserer Entlassung, es war an einem Sonnabend, gingen wir zusammen auf Wochenendfahrt. Daraufhin entließen wir aber die Jüngsten der Gruppe. Wir konnten noch ein neues Heim im alten Stil ausbauen und hatten zahlreiche Wochenendtreffen mit illegalen Gruppen aus vielen anderen Städten.

Im Winter 1934 auf 1935 kam es in K. zu einem Aufstand des Jungvolks und von Teilen der HJ, angezettelt durch die früheren bündischen Führer. Das Bannheim der HJ und ihre Gebietsgeschäftsstelle gingen restlos in Trümmer, Akten und Möbel flogen aus den Fenstern auf die Straße. Polizei, SS und HJ-Streifendienst wurden gegen die Meuterei eingesetzt. Mehrere Lkw der Polizei wurden umgekippt und zertrümmert. Als die Polizei diesen ‹Aufstand› niedergeschlagen hatte, lieferte sie über hundert Jungvolkangehörige in die Polizeikaserne ein. Dort wurden die Jungen verdroschen und wieder laufengelassen; die Gebietsgeschäftsstelle der HJ wurde in eine andere Stadt verlegt, das Marinejungvolk aufgelöst, die ehemaligen Bündischen aus den Führungspositionen in HJ und Jungvolk hinausbefördert.»[4]

Bündische Inhalte und Formen des Gruppenlebens brachte Hans Scholl, 1943 zusammen mit seiner Schwester Sophie hingerichtet als Mitglied einer Münchner Widerstandsgruppe, kurz nach der Machtergreifung in die HJ ein. Über seine Erfahrungen berichtet seine Schwester Inge:

«Hans hatte sich einen Liederschatz gesammelt, und seine Jungen hörten es gern, wenn er zur Gitarre sang. Es waren nicht nur die Lieder der Hitler-Jugend, sondern auch Volkslieder aus allerlei Ländern und Völkern. Wie zauberhaft klang doch solch ein russisches oder norwegisches Lied in seiner dunklen, ziehenden Schwermut. Was erzählte es einem nicht von der Eigenart jener Menschen und ihrer Heimat.

Aber nach einiger Zeit ging eine merkwürdige Veränderung in Hans vor, er war nicht mehr der alte. Etwas Störendes war in sein Leben getreten. Nicht die Vorhaltungen des Vaters waren es, nein, denen gegenüber konnte er sich taub stellen. Es war etwas anderes. Die Lieder sind verboten, hatten ihm die Führer gesagt. Und als er darüber lachte, hatten sie ihm mit Strafen gedroht. Warum sollte er diese Lieder, die so schön waren, nicht singen dürfen? Nur weil sie von anderen Völkern ersonnen waren? Er konnte es nicht einsehen; es bedrückte ihn, und seine Unbekümmertheit begann zu schwinden.

Zu dieser Zeit wurde er mit einem ganz besonderen Auftrag ausgezeichnet. Er sollte die Fahne seines Stammes zum Parteitag nach Nürnberg tragen. Seine Freude war groß. Aber als er zurückkam, trauten wir unseren Augen kaum. Er sah müde aus, und in seinem Gesicht lag eine große Enttäuschung. Irgendeine Erklärung durften wir nicht erwarten. Allmählich erfuhren wir aber doch, daß die Jugend, die ihm dort als Ideal vorgesetzt wurde, völlig verschieden war von dem Bild, das er sich von ihr gemacht hatte. Dort Drill und Uniformierung bis ins persönliche Leben hinein – er aber hätte gewünscht, daß jeder Junge das Besondere aus sich machte, das in ihm steckte. Jeder einzelne Kerl hätte durch seine Phantasie, seine Einfälle und seine Eigenart die Gruppe bereichern helfen sollen. Dort aber, in Nürnberg, hatte man alles nach einer Schablone ausgerichtet. Von Treue hatte man gesprochen, bei Tag und Nacht. Was aber war denn der Grundstein aller Treue: zuerst doch die zu sich selbst . . . Mein Gott! In Hans begann es gewaltig zu rumoren.

Bald darauf beunruhigte ihn ein neues Verbot. Einer der Führer hatte ihm das Buch seines Lieblingsdichters aus der Hand genommen, Stefan Zweigs ‹Sternstunden der Menschheit›. Das sei verboten, hatte man ihm gesagt. Warum? Darauf gab es keine Antwort. Über einen anderen deutschen Schriftsteller, der ihm sehr gefiel, hörte er etwas Ähnliches. Er hatte aus Deutschland fliehen müssen, weil er sich für den Gedanken des Friedens eingesetzt hatte.

Schließlich aber war es zum offenen Bruch gekommen.

Hans war schon vor längerer Zeit zum Fähnleinführer befördert worden. Er hatte sich mit seinen Jungen eine prachtvolle Fahne mit einem großen Sagentier genäht. Die Fahne war etwas Besonderes; sie war auf den Führer geweiht, und die Jungen hatten ihr Treue gelobt, weil sie das Symbol ihrer Gemeinschaft war. Aber eines Abends, als sie mit der Fahne angetreten waren, zum Appell vor einem höheren Führer, war eine unerhörte Geschichte passiert. Der Führer hatte plötzlich unvermittelt den kleinen Fahnenträger, einen fröhlichen zwölfjährigen Jungen, aufgefordert, die Fahne abzugeben.

‹Ihr braucht keine besondere Fahne. Haltet euch an die, die für alle vorgeschrieben ist.›

Hans war tief betroffen. Seit wann das? Wußte der Stammführer nicht, was gerade diese Fahne für seine Gruppe bedeutete? War das nicht mehr als ein Tuch, das man nach Belieben wechseln konnte?

Noch einmal forderte der andere den Jungen auf, die Fahne herauszugeben. Der blieb starr stehen, und Hans wußte, was in ihm vorging und daß er es nicht tun würde. Als der höhere Führer den Kleinen zum drittenmal mit drohender Stimme aufforderte, sah Hans, daß die Fahne ein wenig bebte. Da konnte er nicht länger an sich halten. Er trat still aus der Reihe heraus und gab diesem Führer eine Ohrfeige.

Von da an war er nicht mehr Fähnleinführer.»[5]

Freiwillig für den Führer?

Durch seine Ernennung zum «Jugendführer des Deutschen Reiches» konnte von Schirach die volle Staatsautorität für die HJ einsetzen. Im Jahr der Machtergreifung organisierten die Nationalsozialisten im gesamten Reichsgebiet unzählige Kundgebungen. Hunderttausende von Jugendlichen ließen sie an den NS-Führern auf Tribünen und in offenen Autos vorüberziehen. «Die Riesenaufmärsche und Massendemonstrationen dieses Jahres [1933] waren nicht aus dem Rausch der Begeisterung geboren, nicht im Taumel des Sieges entstanden, sondern klar und nüchtern ausgerichtet auf das Ziel der hundertprozentigen Erfassung der gesamten deutschen Jugend», hieß es in einem HJ-Leistungsbericht von 1943.

Ein typischer Originalbericht über die Berliner Jugendkundgebung am 1. Mai 1933:

«Von allen Häusern wehen die Fahnen der nationalen Erhebung. Breite große Transparente sind über die Hauptstraßen gespannt. Girlanden umkränzen die Bahnhöfe. Berlin hat sein schönstes Kleid angelegt!

In den frühen Morgenstunden sammelt sich auf allen Straßen und Plätzen der Stadt die Jugend und marschiert dann geschlossen aus allen Himmelsrichtungen hin zum Lustgarten, wo um neun Uhr die gewaltigste Jugendkundgebung stattfinden soll, die Berlin je gesehen hat.

Kurz vor neun Uhr bietet der Lustgarten ein überwältigendes Bild! Hunderttausende deutscher Jungen und Mädel, Studenten und Jungarbeiter stehen erwartungsvoll Reihe an Reihe. Sie erwarten den Führer!

Mächtiger Gesang aus jugendlichen Kehlen tönt zum morgendlichen Himmel hinauf. Auf der Rampe des Schlosses haben die Ehrengäste bereits Platz genommen . . .

Neun Flugzeuge – eine nationalsozialistische Fliegerstaffel – kreisen über der Menschenmenge. – Neun Uhr morgens! – 1200 Sänger des Berliner Sängerbundes singen die herrliche Hymne: ‹*Deutschland, du mein Vaterland!*› – Kaum ist der letzte Ton verklungen, betritt Dr. Goebbels die Estrade. Jubel empfängt ihn.»

Selbst auf spätere Widerstandskämpfer wirkte der Propagandafeldzug der Nazis:

«. . . Hitler, so hörten wir überall, Hitler wolle diesem Vaterland zu Größe, Glück und Wohlstand verhelfen; er wolle sorgen, daß jeder Arbeit und Brot habe; nicht ruhen und rasten wolle er, bis jeder einzelne Deutsche ein unabhängiger, freier und glücklicher Mensch in seinem Vaterland sei. Wir fanden das gut, und was immer wir dazu beitragen konnten, wollten wir tun. Aber noch etwas anderes kam dazu, was uns mit geheimnisvoller Macht anzog und mitriß. Es waren die kompakten marschierenden Kolonnen der Jugend mit ihren wehenden Fahnen, den vorwärts gerichteten Augen und dem Trommelschlag und Gesang. War das nicht etwas Überwältigendes, diese Gemeinschaft? So war es kein Wunder, daß wir alle, Hans und Sophie und wir anderen, uns in die Hitler-Jugend einreihten.

Wir waren mit Leib und Seele dabei, und wir konnten es nicht verstehen, daß unser Vater nicht glücklich und stolz ja dazu sagte. Im Gegenteil, er war sehr unwillig darüber, und zuweilen sagte er: ‹Glaubt ihnen nicht, sie sind Wölfe und Bärentreiber, und sie mißbrauchen das deutsche Volk schrecklich› . . .

Aber des Vaters Worte waren in den Wind gesprochen, und sein Versuch, uns zurückzuhalten, scheiterte an unserer jugendhaften Begeisterung.»[6]

Wer sich durch das Auftreten der HJ nicht anlocken ließ, konnte anders «erfaßt» werden:

«In den deutschen Schulen waren demokratische Lehrer entlassen, pensioniert oder auf unbedeutende Stellen abgeschoben worden. Die neuen Ministerialbeamten, Oberschulräte und Schulleiter kamen aus den Reihen der alten Kämpfer, und Lehrer, die bisher nicht der NSDAP angehört hatten, bemühten sich eifrig um Aufnahme. Viele stellten sich kritiklos in den Dienst der neuen Machthaber, bemüht, nicht aufzufallen oder nur angenehm bemerkt zu werden. Deshalb waren die meisten auch willige Werber der HJ in den Schulen.

HJ-Führer und Lehrer trafen und besuchten sich gegenseitig. Sie führten mit den Eltern gemeinsame Werbeversammlungen in den Schulen durch.»[7]

Werbung erfolgte auch durch Hausbesuche: Der Kreisleiter der NSDAP von Saarburg schrieb an alle Schulleiter des Kreises am 18. Mai 1935:

«Ich habe festgestellt, daß die Zahl der Mitglieder des Jungvolks, der HJ und des BdM [Bund deutscher Mädel] weder in einem vergleichbaren Verhältnis zu der allgemeinen Wirtschaftslage unseres Kreises steht noch dem heute unter allen Umständen notwendigen Einigkeitsgrundsatz der deutschen Nation entspricht. Ich nehme nun Bezug auf die vom Führer angesetzte Werbeaktion und verweise auf beiliegendes Flugblatt, das Sie sinngemäß bei der Werbung verwenden wollen. Ich übertrage Ihnen die Hauptaufgabe der Werbung deshalb, weil Sie als Lehrer und Erzieher das kostbarste Gut des deutschen Volkes zu verwalten haben, nämlich die deutsche Jugend.

Um nun der Werbung den erforderlichen Erfolg zu garantieren, ordne ich hiermit an, daß die Werbung selbst auf dem Wege des Hausbesuchs zu erfolgen hat. Da, um des Reiches Bestand für die Ewigkeit zu sichern, die Grundlage der deutschen Einigkeit unter allen Umständen zunächst in der Jugend hergestellt werden muß, darf sich keiner ausschließen, es sei denn, daß er sich nicht zur deutschen Nation gezählt wissen will. Aus besonderen Gründen heraus wollen Sie diejenigen Familien aufführen, die die Aufnahme ihrer

Kinder in unsere Jugendorganisationen ablehnen. Eine entsprechende Nachweisung liegt als Anlage bei. Desgleichen ist eine weitere Nachweisung über den Erfolg Ihrer Tätigkeit ordnungsmäßig auszufüllen. Nach Abschluß der Werbeaktion wollen Sie mir einen Bericht, dem die erledigten beiden Nachweisungen beizugeben sind, einsenden. Die Hoheitsträger und Gemeindeschulzen sind angewiesen, bei der Werbung aktiv mitzuwirken und diese gleichzeitig zu überwachen.»[8]

Die Werbeaktion blieb nicht ohne Erfolg:

«Im Unterricht wiesen die Lehrer ständig mit Nachdruck hin auf die neue große Volksgemeinschaft, der sich niemand entziehen dürfe. Auch eine so unverfängliche Einrichtung wie das Winterhilfswerk, das armen oder alten Leuten mit Geld, Lebensmitteln, Heizung und Kleidern helfen sollte, stand geschickt im Dienst der HJ-Werbung.

Am 7. Oktober 1933 bat nämlich der Reichsminister für Volksaufklärung und Propaganda die Schulleiter um Unterstützung des ‹Winterhilfswerks der deutschen Jugend›. Dafür war ein Nagelschild entworfen worden in Form des Abzeichens der Hitler-Jugend. Die Lehrer sollten die Holzschilder in den Schulen aufhängen lassen. Jedes Kind, das einen Nagel einschlug, gab dabei eine Spende für arme Leute. ‹Die Hitler-Jugend hat den ideellen Vorteil, daß ihr Abzeichen in einer würdigen Form im ganzen deutschen Land verbreitet wird.›

Die Schulen wetteiferten bald miteinander in der HJ-Werbung. Ehrgeizige Behördenchefs veröffentlichten Erfolgsstatistiken und schickten sie den Kollegen zu. Die anderen wollten nicht nachstehen, also sollten alle Schüler in die HJ! Erfolgreichen Schulen verlieh die HJ ihre Fahne, sobald 90 Prozent aller Schüler HJ-Mitglieder waren . . .

Aber auch bei Lehrlingen, jungen Angestellten und Jungarbeitern ließen sich wirksame Hebel ansetzen. Noch drohte Massenarbeitslosigkeit, noch gab es Lehrlinge im Überfluß.»[9]

Der Landeshandwerksmeister von Hessen schrieb seinen Kollegen 1933:

«In diesen Tagen hat die HJ erneut den Beweis dafür angetreten, daß es Ehrenpflicht aller Väter und Mütter in Deutschland sein muß, ihre Söhne und Töchter der HJ oder dem BDM zuzuführen. Die deutsche Jugend ist das wertvollste Gut der Nation und gehört somit dem Führer. Die Jungen und Mädel, die die weltanschauliche Schulung der HJ in sich aufnehmen, haben *einzig und allein* die Anwartschaft darauf, in die Lehre des Handwerks aufgenommen zu werden. Von Euch erwarte ich, daß Ihr nur solche Lehrlinge und Lehrmädchen aufnehmt, die den Organisationen der Jugend des Führers angehören . . .»

Die Kreishandwerkerschaft in L. gab daraufhin bekannt:

«Gemäß Anordnung der Handwerkskammer dürfen in Zukunft nur noch Lehrlinge eingestellt werden, die Mitglied der HJ und des BDM sind, anderenfalls das Lehrverhältnis nicht anerkannt wird und Bestrafung erfolgt . . .»

Adressaten der Werbung für die HJ waren nicht nur junge Handwerker, sondern auch Arbeiter. Eine Jugendwaltung der «Deutschen Arbeitsfront» warb im Sommer 1934 auf Plakaten:

«Deutscher Jungarbeiter, trete ein in die DAF [Deutsche Arbeitsfront]. Derjenige, der bis 3. September nicht in der DAF ist, wird rücksichtslos aus der Berufsschule geworfen. Wer der DAF beitritt, muß Mitglied der HJ oder ihrer Unterorganisationen sein. Es liegt daher in Eurem eigenen Interesse . . .»

Und für die Jugendlichen, die eine Beamtenlaufbahn oder ein Studium anstrebten, galt, was die Reichsjugendführung 1936 offiziell anordnete:

«. . . es muß durchgesetzt werden, daß in Zukunft nur noch eine führende Stellung des Staates, der Bewegung, des Heeres oder irgendeiner anderen Institution erlangt, wer Mitglied der HJ war. Darüber hinaus sind nicht nur sämtliche Anwärter für derartige Posten, sondern auch alle Bewerber für den Beamten- und Angestelltendienst in Orts- und Kommunalbehörden abzulehnen, wenn die jeweils um Auskunft gefragte HJ-Stelle an Hand ihrer Listen eine ehemalige Gegnerschaft feststellt . . .»

Ab Herbst 1933 verteilte die HJ Werbe- und Beitrittserklärungen:

«Hitlerjugend   Wiesbaden, den 3. Mai 1934
Bann 80 Wiesbaden
Zum letztenmal wird zum Appell geblasen!

Die Hitler-Jugend tritt heute mit der Frage an Dich heran: Warum stehst Du noch außerhalb der Reihen der Hitlerjugend? Wir nehmen doch an, daß Du dich zu unserem Führer Adolf Hitler bekennst. Dies kannst Du jedoch nur, wenn Du Dich gleichzeitig zu der von ihm geschaffenen Hitler-Jugend bekennst. Es ist nun an Dich eine Vertrauensfrage: Bist Du für den Führer und somit für die Hitler-Jugend, dann unterschreibe die anliegende Aufnahmeerklärung. Bist Du aber nicht gewillt, der HJ beizutreten, dann schreibe uns dies auf der anliegenden Erklärung . . . Wir richten heute einen letzten Appell an Dich. Tue als junger Deutscher Deine Pflicht und reihe Dich bis zum 31. Mai d. J. ein bei der jungen Garde des Führers.

Heil Hitler!
Der Führer des Bannes 80

Erklärung

Unterzeichneter erklärt hierdurch, daß er nicht gewillt ist, in die Hitler-Jugend (Staatsjugend) einzutreten, und zwar aus folgenden Gründen: ....

Unterschrift des Vaters: .... Unterschrift des Jungen: ......
Beruf: .... Beruf: ....
Beschäftigt bei: .... Beschäftigt bei: .... [10]

Zuerst gelockt und dann gezwungen

Die Hitler-Jugend nach 1936

1. Januar 1936: In seinem Neujahrsaufruf gibt Reichsjugendführer von Schirach die Parole aus: «Jahr des Deutschen Jungvolks.» Er leitet damit die bislang wichtigsten Monate der Hitler-Jugend propagandistisch ein. Hinter dem schlichten Motto verbirgt sich die größte Erfassungsaktion der Jugendlichen im Dritten Reich.

Das Ziel war klar: Zum erstenmal sollte ein Jahrgang *geschlossen* am Vorabend des Führer-Geburtstags in die HJ eintreten – und die Nationalsozialisten setzten ihren ganzen Ehrgeiz daran, ihn zu «werben»; er sollte «freiwillig» zu ihnen kommen.

Vier Wochen lang, vom 20. März bis zum 19. April, lief die «Erfassung» auf vollen Touren. Führung und Mitglieder der HJ und die Schule arbeiteten dabei Hand in Hand. Die HJ-Führung richtete in HJ-Heimen und den Räumen der NSDAP-Ortsgruppen Werbebüros ein; die Mitglieder standen in ihren Uniformen Posten, malten Plakate, schrieben Transparente. Sie marschierten mit Fahnen und Sprechchören durch die Straßen, zeigten sportliche Übungen, sangen ihre Lieder. Lehrer reichten Klassenlisten an die örtlichen HJ-Führer weiter, Schulleiter luden zu Elternabenden, auf denen Lehrer und HJ-Führer gemeinsam für die Parteijugend warben.

Um dem erwarteten Ansturm auch organisatorisch gewachsen zu sein, straffte man im Frühjahr 1936 die HJ in allen Teilen nach dem Vorbild der NSDAP. War es bisher den Jugendlichen überlassen, in welcher Einheit sie Dienst tun wollten, gliederte man jetzt die HJ nach Ortsbezirken. Zugleich wurde der Dienst «reichseinheitlich» normiert und den Altersstufen besser angepaßt. Die Vorteile lagen auf der Hand: Der Wohnbezirk war leicht zu kontrollieren – zur Not durch die Partei –, und für die Pimpfe war der Weg zum «Dienstort» in aller Regel kürzer als bisher; der Dienst selbst überforderte sie nicht mehr.

Noch eine dritte Erneuerung brachte das Jahr 1936 für die HJ. Am 1. Dezember machte das «Gesetz über die Hitler-Jugend» die Parteijugend zur Staatsjugend. In § 2 hieß es: «Die gesamte deutsche Jugend ist außer in Elternhaus und Schule in der Hitler-Jugend körperlich, geistig und sittlich im Dienste des Nationalsozialismus zum Dienst am Volk und zur Volksgemeinschaft zu erziehen.» Die «Reichsjugendführung» wurde «Oberste Reichsbehörde» und Hitler unmittelbar unterstellt.

Knapp drei Jahre später, im März 1939, verordnete die Regierung für alle Jungen und Mädchen die «Jugenddienstpflicht» – gleichgestellt mit Arbeits- und Wehrdienstpflicht. Jetzt mußten Eltern ihre zehnjährigen Kinder zur HJ anmelden. Taten sie das nicht, hatten sie «mit Geldstrafen bis zu 150 RM oder mit Haft» zu rechnen.

Auch die letzte Bastion fällt

Die Ausschaltung der konfessionellen Jugendverbände

«Gegen Ende des Jahres 1933 standen der Hitler-Jugend, abgesehen von einer Gruppe unbedeutender Verbände, wie dem Jung-Odenwald-Klub oder dem Deutschen Jugendbund für Einheitskurzschrift sowie den Pfadfindervereinigungen, die mit ihrer Auflösung noch bis zum nächsten Jahre warteten, lediglich noch die beiden großen konfessionellen Gruppen der evangelischen und katholischen Jugend gegenüber», heißt es in einem Leistungsbericht der Reichsjugendführung aus dem Jahre 1943.

Gegen die kirchlichen Jugendverbände gingen die Nazis denn auch seit dem Frühsommer 1933 umfassend vor. Ende Dezember war es soweit: Reichsjugendführer von Schirach und «Reichsbischof» Ludwig Müller unterzeichneten das «Abkommen über die Eingliederung der evangelischen Jugend in die Hitler-Jugend». Ein Auszug:

«Die Jugendlichen des Evangelischen Jugendwerks unter achtzehn Jahren werden in die HJ und ihre Untergliederungen eingeglie-

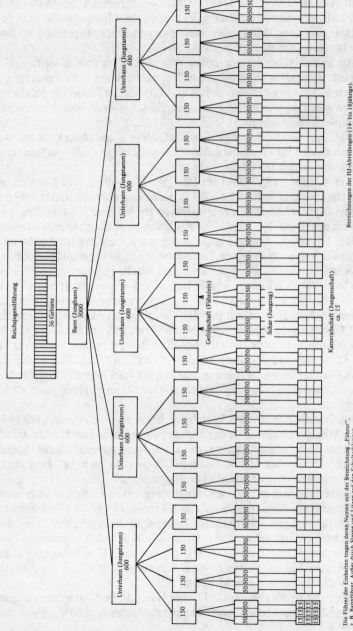

Aufbau der Hitler-Jugend 1936

Reichsjugendführung

36 Gebiete

Bann (Jungbann) 3000

Unterbann (Jungstamm) 600

150

50 50 50

Gefolgschaft (Fähnlein)

Schar (Jungzug)

Kameradschaft (Jungenschaft) ca. 15

15 15 15
15 15 15

Die Führer der Einheiten tragen deren Namen mit der Bezeichnung „Führer", z. B. Bannführer. Außer durch Sterne und Litzen auf den Schulterklappen (nur bei den Jungen) waren die Führer an verschiedenartigen Schnüren erkennbar.

Bezeichnungen der HJ-Abteilungen (14- bis 18jährige).
Jungvolk (10- bis 14jährige)-Gruppen in Klammern.
BDM (Bund deutscher Mädel) (zunächst 14- bis 21jährige) nach Gründung des Bundes „Glaube und Schönheit" nur noch bis 17 Jahre.

dert. Wer nicht Mitglied der HJ wird, kann fürderhin innerhalb dieser Altersstufen nicht Mitglied des Evangelischen Jugendwerks sein . . .

Die gesamten Mitglieder des Evangelischen Jugendwerks tragen . . . den Dienstanzug der HJ.

An zwei Nachmittagen in der Woche und an zwei Sonntagen im Monat bleibt dem Evangelischen Jugendwerk die volle Freiheit seiner Betätigung in erzieherischer und kirchlicher Hinsicht. An diesen Tagen werden, wenn nötig, die Mitglieder jeweils von der anderen Organisation beurlaubt.

Für die Mitglieder des Evangelischen Jugendwerks wird der Dienst in der HJ ebenfalls auf zwei Wochentage und zwei Sonntage im Monat beschränkt . . .»

Am 4. März 1934 fand im Berliner Dom die amtlich befohlene Übernahmefeier statt. Etwa 70 Prozent der ehemaligen Mitglieder des Evangelischen Jugendwerks traten zur HJ über, andere Gruppen kamen durch rasche, freiwillige Auflösung der Eingliederung zuvor.

Der Eindruck, die evangelische Jugend habe sich ganz und freudig unterworfen, ist also falsch. Doch war es schon vor dem Abkommen zu Annäherungen zwischen Partei und Kirche gekommen:

«Der Oberkirchenrat von Württemberg schlug im Juni 1933 gemeinsame ‹Deutsche Abende› und monatliche Bibelstunden der evangelischen Jugend mit der HJ vor, da doch nationaler Gedanke und Christentum beide eng verbinde! Ende Juli ernannte die Kirche einen hauptamtlichen, von ihr besoldeten Verbindungsmann zur HJ im Stabe des Oberbannes 119. Er sollte dort Verständnis für die evangelische Jugenderziehung wecken und sich um die religiöse Betreuung der Hitler-Jungen bemühen. Der Mann trat bald ganz zur HJ über . . .

Im Bezirk Schorndorf/Welzheim hatte sich schon im Mai 1933 eine Arbeitsgemeinschaft der Jugendführer unter dem Führer der HJ gebildet. Der Jungscharführer des CVJM war gleichzeitig SA-Mann. Er plante mit der HJ und seinen Jungen für den 18. Juni einen gemeinsamen ‹Tag der deutschen Jugend› . . .

Einheitsgedanke und ‹Führerprinzip› bemächtigten sich auch mancher Kreise in der evangelischen Kirche. Die NSDAP unterstützte die ihr hörigen ‹Deutschen Christen› und verpflichtete sich den Wehrkreispfarrer Müller als ‹Reichsbischof›. Man schuf eine Einheitsorganisation ‹Evangelisches Jugendwerk Deutschlands› unter einem von Müller bestätigten ‹Reichsführer›, der nahezu 700000 evangelische Jungen und Mädchen führte.»[11]

Über die Bedingungen kirchlicher Jugendarbeit nach dem Eingliederungsabkommen berichtet eine evangelische Jugendleiterin.

«1934 erfolgte bereits unter dem sogenannten Reichsbischof Müller die zwangsweise Eingliederung unserer sämtlichen Jugendgruppen; unsere Mädchen-Pfadfindergruppen wurden als erste aufgelöst, auch hier bei uns in Hessen; unsere Abzeichen, unsere Tracht und alles, was dazugehörte, wurden verboten. Nun lag uns aber daran, uns weiter untereinander zu erkennen. Wir benutzten dazu alle einen kleinen grünen Taschenkalender, den man überall für 75 Pfennig kaufen konnte, mit einem kleinen gelben Bleistift daran. Wir fuhren nun alle in der Bahn oder wo es sonst war, mit diesem kleinen grünen Kalender, an dem wir uns jahrelang erkennen konnten. Es war ein richtiges kleines Geheimzeichen . . .

Unser Hauptanliegen war, uns nun weiterhin auf unseren Freizeiten zu treffen. Ich hatte eine ausgezeichnete junge Mitarbeiterin, die es vorzüglich verstand, die Mädels zusammenzuhalten und sie auch so zu beeinflussen, daß sie ab 1935 sich zur Bekennenden Kirche hielten [Bewegung der evangelischen Kirche, die die Zusammenarbeit mit den Nazis ablehnte]. Was wir in jenen Jahren mit den Eltern erlebten, war manchmal alles andere als ermutigend, denn natürlich hatten sie dauernd Angst, was ihren Kindern noch passieren würde. Es war fast komisch, welche Formalitäten erfüllt werden mußten, bis solche Freizeiten, von denen wir etwa fünf oder sechs im Sommer abhielten, starten konnten. Jedes Mädel mußte gefragt werden, ob es auch einen Urlaubschein vom BDM habe. Denn auf jeder Freizeit erschien eine HJ-Kontrolle, zuweilen in Begleitung der Gestapo, und wenn eines der Mädchen nicht den Urlaubschein vom BDM nachweisen konnte, so wurde die ganze Freizeit aufgelöst. Einmal brachte es meine Mitarbeiterin fertig, sich dem Auflösungsbefehl einer Freizeit in D. durch die HJ zu widersetzen, worauf nach drei Stunden zwei Autos vom BDM-Obergau zusammen mit Gestapo anrückten und die erschrockenen Mädchen zwangen, die Koffer zu packen und abzureisen.

Ebenso ist mir noch in Erinnerung, wie wir einmal eine Freizeit begannen, zu der die Genehmigung noch nicht da war. Wir gehörten fast durchweg zur Bekennenden Kirche, und nun saß damals gerade ein Pfarrer derselben im Gefängnis der Stadt, und unser Jugendheim war ganz in der Nähe dieses Gefängnisses. Wir erfuhren durch einen Wärter die Zelle, in der der Pfarrer gefangen saß, und nun gingen wir jeden Morgen mit unseren sechzig Mädchen dort vorbei und sangen:

       ‹Nun aufwärts froh den Blick gewandt
       und vorwärts fest den Schritt.

Wir gehen an unseres Meisters Hand
und unser Herr geht mit . . .›

Noch heute weiß ich, wie wir uns freuten, wenn der dunkle Schatten hinter dem Gitter zu sehen war. Und wir hörten dann später auch, daß der Betreffende immer schon wartete, auf daß sein Morgengruß käme . . .

Gegen Ende dieser Freizeit erreichte uns aber doch unser Schicksal. Wir marschierten nämlich abends auf den alten Schloßplatz und sangen dort in die schweigende Stadt: ‹Kein schöner Land in dieser Zeit . . .› und ‹Herr, wir stehen Hand in Hand, die dein Hand und Ruf verband . . .›

Man kann sich kaum vorstellen, was das damals für Folgen hatte. Sofort hatten wir eine große Zuhörerschaft auf dem Schloßplatz. Und dann erschien, schön bewaffnet, die Polizei. Ich ging leicht zähneklappernd, aber sehr freundlich auf die drei Männer los und bat inständig, sie möchten uns doch noch den letzten Vers singen lassen, weil der so besonders schön sei. Sie ließen uns wahrhaftig singen, sie wollten anscheinend angesichts der Zuhörer keinen Skandal haben . . .

Am Morgen kamen dann auch in Zivil und Uniform Polizei und Gestapo. Ich wurde aufgeschrieben, und hier ist haargenau ein Punkt, wo wir uns als alles andere denn ‹Helden› erwiesen: Ich sagte schnell gefaßt, wir wollten als Zeichen unserer Loyalität der NSV [NS-Volkswohlfahrt] etwas spenden, nur hätten wir nicht viel Geld und ob sie mit 30 RM zufrieden wären? Irgendwie waren sie dadurch gerührt, ließen uns laufen, weil wir am nächsten Morgen sowieso abfahren mußten, und nahmen das Geld. Am anderen Morgen aber stand in der Zeitung, eine Jugendschar habe der NSV 30 RM vermacht aus Dankbarkeit für den wunderschönen Aufenthalt . . . Unsere Zeitung *Komm mit* verlor allmählich fast 40000 Leserinnen; die evangelische Jugendarbeit wurde zu sehr eingeengt. Es machte auch keine Freude, damals ein christliches Blatt zu machen, weil man immer mit einem Fuß im Verbot stand. Man glaubt heute kaum, was damals alles beargwöhnt wurde. Einmal stand in unserem Blatt ein Spruch ‹Im Herbst fallen die Blätter› . . . Deshalb wurden wir zur Gestapo bestellt; das solle eine Anspielung auf die NS-Regierung sein . . . Der weitere Satz hieß nämlich: ‹Das mahnt uns an die Vergänglichkeit.›

Einmal war es auch ernster, und die Gestapo aus H. bemühte sich deshalb mehrmals zu mir. Das war so, der Beamte kam, zeigte seine Gestapomarke und hielt mir eine Ausgabe unseres Blattes vor die

Nase: Ob ich dies als ein von mir redigiertes Blatt anerkenne? Das mußte ich natürlich, ich wußte auch nicht, was daran sein sollte, denn das Titelbild zeigte immerhin Hindenburg mit seinen Enkeln und neben ihnen den Führer. Finster schlug der Gestapomann dann das Blatt weiter auf: da war innen der Text verändert und eine krasse Anklage gegen die Regierung Hitlers und ein Aufruf, endlich zu glauben, daß zum Beispiel der Reichstagsbrand von den Nazis selber angelegt worden sei, stand darin. Ich brauchte eine ganze Reihe von Gestapovernehmungen, bis ich den Beamten klargemacht hatte, daß ich mit den Urhebern dieser ‹veränderten Auflage› nichts zu tun hätte. Übrigens mußte ich der Gestapo feierlich versprechen, niemanden von diesem Fall etwas zu erzählen.»[12]

Eine ähnliche Vereinbarung wie mit «Reichsbischof» Müller strebte von Schirach auch für die katholischen Jugendverbände an. Durch das Reichskonkordat mit dem Vatikan vom 20. Juli 1933 erhielten sie zunächst einigen Schutz. Artikel 31 lautete:

«Diejenigen katholischen Organisationen und Verbände, die ausschließlich religiösen, rein kulturellen und karitativen Zwecken dienen und als solche der kirchlichen Behörde unterstellt sind, werden in ihren Einrichtungen und in ihrer Tätigkeit geschützt.»

Der Streit zwischen Bischöfen und NS-Staat um die Auslegung dieser Bestimmung war vorprogrammiert. Denn im gleichen Artikel hieß es weiter:

«Die Feststellung der Organisationen und Verbände, die unter die Bestimmungen dieses Artikels fallen, bleibt vereinbarlicher Abmachung zwischen der Reichsregierung und dem deutschen Episkopat vorbehalten.»

Der katholische Jungmännerbund bot den Nazis in einem Aufruf vom September 1933 die Hand zur Zusammenarbeit:

«Wir sind junge Deutsche und glühen für unser Volk und Vaterland. Wir wissen: ob Kirche und Staat in Freiheit und Recht zusammenarbeiten, ob die Religion die rechte Stellung im Leben des Volkes hat und ihre Kräfte zum Segen des Volkes entfalten kann, davon hängt Heil und Unheil ab für unser deutsches Vaterland und damit für unsere deutsche Zukunft. Darum freuen wir uns über den Abschluß des Konkordats, das den Friedensschluß zwischen Staat und Kirche bedeutet ... Wir waren und sind darum bereit zu einer Einordnung ins Ganze deutscher Jugend; eine Einordnung, die uns einerseits die Möglichkeit der Erfüllung unserer eigenen, besonderen Aufgabe beläßt, andererseits uns gleichberechtigt und gleich verpflichtet neben die anderen Gemeinschaften deutscher Jugend im deutschen Staat stellt ...

Die Reichsregierung geht in der Erfüllung, man kann sagen, naturgesetzlicher Forderungen für die Nation, für deren Leben und deren Wirtschaft Schritt für Schritt planmäßig voran. Forderung des Naturgesetzes aber ist primär der Wille Gottes. Wenn wir andererseits Kräfte am Werke sehen, die nicht in dieser Richtung arbeiten, solche geistige Fundamentierung des neuen Reichs untergraben und hemmen – das kann unser Gesamturteil nicht ändern, desto stärker werden wir jungen Katholiken uns mitten hineinstellen in den Staat und ihm unter der neuen Führung dienen.»

Das Angebot zur Zusammenarbeit wurde ausgeschlagen. Durch eine Politik der Nadelstiche sollte die katholische Jugend langsam mürbe gemacht werden.

Polizeiterror gegen Rom-Pilger

19. 8. 1933	Verbot der Wochenzeitung *Junge Front* auf acht Wochen.
9. 12. 1933	Generalpräses Wolker (Katholischer Jungmännerverband Deutschlands) aus dem Beirat des Jugendherbergsverbandes, Gau Rheinland, ausgeschlossen.
23. 2, 1934	Ausschluß der katholischen Jugendorganisation von der Fahrpreisermäßigung bei der Reichsbahn.
April 1934	Verbot des öffentlichen Auftretens konfessioneller Jugendverbände in den Regierungsbezirken Kassel, Wiesbaden, verschärft in München.
26. 5. 1934	Verbot des Verkaufs von Presseerzeugnissen in Nähe der Kirchen im Regierungsbezirk Aachen und Düsseldorf. – Im Regierungsbezirk Trier jede Betätigung außerhalb der kirchlichen und religiösen Sphäre verboten.
1. 6. 1934	Geschlossenes öffentliches Auftreten katholischer Jugendverbände für Regierungsbezirk Köln untersagt.
29. 6. 1934	Ein HJ-Führer ermordete in Hockenheim (Baden) im Familienstreit seinen Bruder und tötete sich selbst. Version der Parteipresse: «Hitler-Jugendführer durch schwarze Mordhetze in den Tod getrieben.»

1. 7. 1934	Adalbert Probst, Reichsführer der «Deutschen Jugendkraft» (DJK) in Braunlage (Harz) verhaftet, in einem Auto weggeschafft und «auf der Flucht erschossen».
Juli 1934	Verbot katholischer Jugend im Regierungsbezirk Hildesheim und in Oberbayern.
4. 8. 1934	*Junge Front* auf vier Wochen verboten.
6. 3. 1935	*Junge Front* bis auf weiteres verboten.
24. 3.–7. 4. 1935	Frühjahrsoffensive der HJ im Gebiet Ruhr–Niederrhein zur Mitgliederwerbung.
26.–29. 4. 1935	Rücksichtsloser Polizeiterror gegen heimkehrende Rom-Pilger des Jungmännerverbandes und Neudeutschlands an der deutsch-schweizerischen Grenze.
23. 7. 1935	Polizeiverordnung gegen die konfessionellen Jugendverbände in Preußen, bald ausgedehnt auf das Reich. Verbot, Auflösung und Beschlagnahme des Vermögens der Deutschen Jugendkraft in Baden.
19. 11. 1935	Jugendhaus in Düsseldorf nach Haussuchung vorübergehend geschlossen.
1. 12. 1935	Nr. 48 des *Michael* beschlagnahmt.

Welche Auswirkungen die Haltung der Nationalsozialisten zu den katholischen Jugendverbänden auf die einzelnen Mitglieder hatte, zeigt das Schreiben des Kaplans einer Pfarrei in Trier an den Kreisleiter der NSDAP vom 14. Februar 1934:

«In der fünften Schulklasse W., die von Herrn Lehrer A. geleitet wird, sitzen zehn Mitglieder der katholischen Jungschar W. Diese Jungen sind schon seit Jahren Jungschärler, und sie sind es auch geblieben, als die Hitler-Jugend gegründet wurde. Wegen dieser letzteren Tatsache mußten sie schon manche Schikane von seiten ihres Lehrers ertragen. Obwohl das Reichskonkordat besteht, obwohl immer wieder von der obersten Jugendführung des Reiches darauf hingewiesen wird, keinen Jungen in die HJ zu zwingen, übt Herr Lehrer A. einen derartigen Druck auf die Mitglieder der Jungschar aus, daß es für die Jungen fast unerträglich ist. Zum Beispiel: am letzten Samstag gab er den betreffenden Jungen den Aufsatz auf: ‹Warum bin ich nicht in der Hitler-Jugend?›, während alle anderen Kinder in der Klasse nichts auf hatten. Zu der Stellung der Aufgabe fügte er hinzu: ‹Wenn ihr den Aufsatz nicht macht, haue ich euch, daß ihr die Wand hinaufgeht.› – Ein anderer Fall: Ein Mitglied der HJ war zur katholischen Jungschar zurückgekommen. Als Herr A. davon hörte, drohte er ihm an, er würde ihm für jeden Fall, wo er in Zukunft vom Appell der HJ wegbliebe, vierzig Rechenaufgaben aufgeben. Die Drohung wurde dann noch verschärft dadurch, daß Herr Lehrer A. eine Tracht Prügel in Aussicht stellte. Daraufhin blieb der Junge, der ganz aus freien Stücken wieder zu uns kommen wollte, in der HJ. – Der Druck des Herrn Lehrers auf die Jungschärler geht sogar so weit, daß er den Jungen androht, er würde ihnen zu Ostern die Zeugnisse ‹versauen›; er würde sie sitzenlassen etc. – Als Herr A. einmal zur Rede gestellt wurde, warum er denn oft nur die Mitglieder der Jungschar bestrafe, sagte er wörtlich: ‹Mir widerstrebt es, einen Jungen zu schlagen, der das braune Ehrenkleid trägt.›

Der Kreisleiter sandte dem Kreisobmann des NS-Lehrerbundes am 2. März 1934 den Bericht des Kaplans mit der Bemerkung, es sei ratsam, den betreffenden Lehrer dahingehend zu verständigen, klüger, vorsichtiger und unauffälliger vorzugehen, damit der Gegenseite jede Möglichkeit genommen wird, irgendwelche Beschwerde anzubringen.»[13]

Die Verfolgung der katholischen Jugendverbände dauerte bis in die Kriegszeit, in der sich auch die letzten noch verbliebenen Reste auflösten.

Alltag in der Hitler-Jugend

Jetzt heißt die Parole zackig, zackig

Melita Maschmann beschreibt die «Inhaltslosigkeit» und «Langweiligkeit» des HJ-Betriebs. Trotz unerfüllter Erwartungen machte sie weiter mit:

«... da meine Eltern mir nicht erlaubten, Mitglied der Hitler-Jugend zu werden, wurde ich es heimlich. Für mich begann jetzt meine private ‹Kampfzeit›. Ich holte nach, was meine neuen Kameraden und Kameradinnen vor 1933 geleistet hatten: die unter persönlichen Opfern erkaufte Zugehörigkeit zur nationalsozialistischen Jugend. Um es vorwegzunehmen: was zunächst auf mich wartete, war eine bittere Enttäuschung, deren Ausmaß ich mir nicht einzugestehen wagte. Die Heimabende, zu denen man sich in einem dunklen und schmutzigen Keller traf, waren von einer fatalen Inhaltslosigkeit.

Die Zeit wurde mit dem Einkassieren der Beiträge, mit dem Führen unzähliger Listen und dem Einpauken von Liedertexten totgeschlagen, über deren sprachliche Dürftigkeit ich trotz redlicher Mühe nicht hinwegsehen konnte. Aussprachen über politische Texte – etwa aus ‹Mein Kampf› – endeten schnell in allgemeinem Verstummen. Unsere Gruppenführerin war Verkäuferin in einem Optikgeschäft ...

In besserer Erinnerung sind mir die Wochenendfahrten mit den Wanderungen, dem Sport, den Lagerfeuern und dem Übernachten in Jugendherbergen. Gelegentlich gab es dabei Geländespiele mit benachbarten Gruppen. Wenn zwischen ihnen Rivalitäten bestanden, artete das Spiel manchmal in zünftige Prügeleien aus. Was für einen Anblick die sich um einen Wimpel raufenden Mädchen einem Außenstehenden geboten haben mögen, will ich mir lieber nicht ausmalen.

Aber selbst der Fahrtenbetrieb versöhnte mich nicht mit der Langweiligkeit des übrigen ‹Dienstes›. In meiner Gruppe war ich das einzige Mädchen, das eine höhere Schule besuchte. Die anderen waren Verkäuferinnen, Büroangestellte, Schneiderinnen und Dienstmädchen. Mein Wunsch, in die Gemeinschaft der ‹arbeitenden Jugend› aufgenommen zu werden, hatte sich also erfüllt. Daß die Erfüllung eine schmerzhafte Enttäuschung war, erklärte ich mir folgendermaßen: Diese Mädchen entstammten dem Kleinbürgertum und blickten neidvoll auf die ‹höheren Töchter›, denen ich zu entrinnen trachtete. Sie waren nicht die Gefährtinnen, die ich suchte, nämlich ‹Jungarbeiterinnen›. Der Ausdruck ist jetzt weniger gebräuchlich. Damals bezeichnete er die jungen Fabrikarbeiterinnen, von denen ich annahm, daß sie kein kämpferisches Klassenbewußtsein hätten, und um deren Abwerbung vom Kommunismus ich für die Volksgemeinschaft ringen wollte. Ich hatte mich mit der ‹Arbeiterdichtung› beschäftigt und neigte dazu, diese Fragen zu romantisieren . . .»

Melita Maschmann, die ihr Buch als Brief an eine jüdische Freundin geschrieben hat, fährt dann fort:

«Wie ahnungslos ich damals in bezug auf die eigentlichen Intentionen des Nationalsozialismus war, geht daraus hervor, daß ich Dich bestürmte, unserer Gruppe beizutreten. Ich wußte, daß Du Jüdin bist und daß die Partei gegen die Juden war. Aber schließlich gehörte meine Gruppe ja ‹nur halb› zur Hitler-Jugend . . . Du lehntest ab, und wir stritten uns wieder einmal über Deinen ‹Individualismus›. Daß Du vermutlich abgelehnt hast, weil Du die schärfere Witterung für das hattest, was auf uns zukam, begriff ich erst viele Jahre später . . .

Ich war das, was man ein ‹Märzveilchen› (spöttisch für jene, die vor dem für April angekündigten Aufnahmestopp schnell noch der Partei beitraten) nannte: Mein (zunächst heimlicher) Eintritt in die Hitler-Jugend datierte vom 1. März 1933, und alle anderen Führungsstellen waren mit sogenannten ‹alten Kämpfern› besetzt. Sie zu respektieren und zu bewundern war ich fraglos bereit, aber in der Praxis ergaben sich Schwierigkeiten. Die wenigsten von ihnen gefielen mir. Eben weil ich ein Märzveilchen und noch dazu Oberschülerin war, behandelten sie mich mit Herablassung und ließen mich deutlich spüren, daß ich nicht zu ihnen gehörte. Sie waren zum Teil von einer peinlichen Grobschlächtigkeit und Primitivität und entsprachen – ich stellte es bekümmert fest – dem Bild, das meine Mutter von ‹Proleten› zu entwerfen pflegte. Eine Ausnahme, zum Glück nicht die einzige, bildete Johanna, meine Untergauführerin. Auch sie stammte aus ‹kleinen Verhältnissen› und hatte, was mich an meiner Vorgesetzten natürlich schmerzte, keine ausgeprägten geistigen Interessen. Aber sie glaubte an die Ideale der nationalen Erneuerung, für die sie temperamentvoll eintrat, und sie haßte menschliche Unanständigkeiten. Ihre Umgangsformen waren nicht zimperlich. Wenn wir zum Appell angetreten waren und im Glied geschwätzt wurde, brüllte sie laut ‹Schnauze!› Dann war es sofort still.

Johannas Eltern hatten eine kleine Gastwirtschaft, die der SA seit Jahren als Versammlungslokal diente. Während sie und ihre etwas jüngere Schwester noch Kinder waren, wurden manchmal nachts plötzlich ein Dutzend Pistolen unter die Matratzen ihrer Betten geworfen, weil eine Polizeirazzia in Sicht war. (Derlei Anekdoten wurden jedenfalls unter den BDM-Führerinnen erzählt.)

Die rauhe, lärmende Umwelt dieses Lokals hatte auf Johanna abgefärbt. Sie ließ uns manchmal in Dreierreihen über den Kurfürstendamm marschieren und einen Teil der Strecke im Laufschritt zurücklegen. Dabei sollten wir möglichst laut trampeln. ‹Hier wohnen die reichen Juden›, sagte sie, ‹die sollen ruhig mal ein bißchen im Mittagsschlaf gestört werden.›

Ihre Auflehnung gegen das ‹System von Weimar› hing damit zusammen, daß ihre Familie nach dem Weltkrieg aus der westpreußischen Heimat vertrieben worden war und daß die Reichsregierung sich mit der Grenzziehung von 1919 abzufinden schien . . .

Genau erinnere ich mich daran, daß ich Dir unbefangen von allen meinen Erlebnissen in der Hitler-Jugend erzählte und daß Du mir mit der gleichen Unbefangenheit von dem berichtetest, was Deine Geschwister in ihrer Jugendgruppe erlebten. Sie gehörten zur ‹bündischen Jugend›, die von den Nationalsozialisten schonungslos bekämpft wurde. Der Führer dieser Gruppe war unter dem Spitznamen Tusk bekannt. Damals hieß es – und soviel ich mich entsinne, entsprach das allem, was Du mir von ihm erzähltest –, daß er kommunistische Tendenzen habe. Unter den Bündischen war er für die Hitler-Jugend der Feind Nummer eins. Eines Tages erfuhr ich von Dir, daß viele Freunde Deiner Brüder mit ihrer Gruppe geschlossen zur Hitler-Jugend übergetreten seien. Tusk selbst war damals wahrscheinlich schon untergetaucht oder verhaftet. Das bestätigte mir etwas, worüber ich in der Hitler-Jugend häufig hatte klagen hören: die Unterwanderung der nationalsozialistischen Jugend durch bündische und sogar durch kommunistische Elemente. Wahrscheinlich war es dieser Umstand, der mich veranlaßte, über meine unklare Situation nachzudenken. Allmählich empfand ich ihre Zwiespältigkeit als unsauber und belastend. Ich kam zu dem Schluß, daß es nicht möglich sei, nationalsozialistische Jugendführerin zu sein und Freundschaft mit einer jüdischen Familie zu halten, deren Söhne einer illegalen bündisch-kommunistischen Gruppe angehörten. Nach und nach entfernte ich mich auch äußerlich dadurch von Dir, daß ich meine letzte freie Minute in den Dienst der Hitler-Jugend stellte. Innerlich hatte ich immer weniger Spielraum für Dinge, die nicht mit diesem Dienst zusammenhingen.»[14]

«. . . hart, tapfer und treu»

Das Deutsche Jungvolk

Wie Soldaten mußten die Zehnjährigen zur Musterung antreten, ehe sie zum Dienst im Jungvolk einberufen wurden. Die Aufnahme erfolgte am Vorabend des 20. April, Hitlers Geburtstag, durch den «Reichsjugendführer» vom Remter der Marienburg in einer Feier, die im Rundfunk übertragen wurde. Jeder neu aufgenommene Pimpf mußte eine Verpflichtungsformel nachsprechen: «Ich verspreche, in der Hitler-Jugend allzeit meine Pflicht zu tun in Liebe und Treue zum Führer und unserer Fahne.»

In den ersten Monaten seiner vierjährigen Zugehörigkeit zum Jungvolk bereitete sich der «Pimpf» auf die «Pimpfenprobe» vor, den Höhepunkt des ersten Jungvolkjahres. Dabei galt es, sechzig Meter in zwölf Sekunden zu sprinten, 2,75 Meter weit zu springen und den Schlagball mindestens 25 Meter zu werfen. Man mußte an einer eineinhalbtägigen Fahrt teilnehmen, über den Aufbau und die Führung des Fähnleins Bescheid wissen, das Horst-Wessel- und das HJ-Fahnenlied sowie die sogenannten «Schwertworte» kennen: «Jungvolkjungen sind hart, schweigsam, tapfer und treu. Jungvolkjungen sind Kameraden. Der Jungvolkjungen Höchstes ist die Ehre.»

Nächstes Ausbildungsziel war das DJ-Leistungsabzeichen. Zu Sprung, Lauf und Wurf kamen Klimmzüge, Schwimmen, Bodenrollen, Radfahren und 1000-m-Lauf hinzu. Die Jungen mußten an Zeltlagern teilnehmen, eine Kochstelle bauen, sich tarnen und anschleichen, die wichtigsten Baumarten und die Kartenzeichen des Meßtischblatts kennen. Sie machten Schießübungen mit dem Luftgewehr, wurden über den offiziellen Lebenslauf des Führers, das Deutschtum im Ausland, die Gebietsverluste durch den Versailler Vertrag und nationale Feiertage informiert. Sie paukten sechs HJ-Lieder und fünf Fahnensprüche («Wer auf die Fahne des Führers schwört, hat nichts mehr, was ihm selber gehört»).

Karl-Heinz Janßen, zwölf Jahre jünger als Melita Maschmann, erinnert sich an seine Pimpfenzeit und fragt: «Wie haben wir das nur vier Jahre ertragen?»

«Wir waren Hitler-Jungen, Kindersoldaten, längst ehe wir mit zehn Jahren für wert befunden wurden, das Braunhemd zu tragen. Schon vorher waren wir dauernd ‹im Einsatz›. Wir sammelten Altpapier und Altmetalle, suchten Heilkräuter, schwangen fürs Winterhilfswerk die Sammelbüchse, bastelten Spielzeug für Babies, führten zur Erheiterung der Soldatenfrauen politische Spielchen auf (‹In England wohnt ein alter Mann, der nie die Wahrheit sagen kann›), waren aufs ‹Dienen› vorbereitet, ehe wir als Pimpfe zwei- oder dreimal die Woche und oft auch noch am Sonntag zum ‹Dienst› befohlen wurden: ‹Du bist nichts, dein Volk ist alles!›

Wenn andere von der Pimpfenzeit schwärmen (als sei das Ganze nur ein Pfadfinderklub mit anderem Vorzeichen gewesen), so kann ich diese Begeisterung nicht teilen. Ich habe beklemmende Erinnerungen. In unserem Fähnlein bestanden die Jungvolk-Stunden fast nur aus ‹Ordnungsdienst›, das heißt aus sturem militärischem Drill. Auch wenn Sport oder Schießen oder Singen auf dem Plan stand, gab es erst immer ‹Ordnungsdienst›: endloses Exerzieren mit ‹Stillgestanden›, ‹Rührt euch›, ‹Links um›, ‹Rechts um›, ‹Ganze Abteilung – kehrt› – Kommandos, die ich noch heute im Schlaf beherrsche. Es ging zu wie bei Unteroffizier Himmelstoß [Figur aus Remarques Roman *Im Westen nichts Neues*] auf dem Kasernenhof: Zwölfjährige Hordenführer brüllten zehnjährige Pimpfe zusammen und jagten sie kreuz und quer über Schulhöfe, Wiesen und Sturzäcker. Die kleinsten Aufsässigkeiten, die harmlosesten Mängel an der Uniform, die geringste Verspätung wurden sogleich mit Strafexerzieren geahndet – ohnmächtige Unterführer ließen ihre Wut an uns aus. Aber die Schikane hatte Methode: Uns wurde von Kindesbeinen an Härte und blinder Gehorsam eingedrillt. Auf das Kommando ‹Hinlegen› hatten wir uns mit bloßen Knien in die Schlacken zu werfen; bei Liegestützen wurde uns die Nase in den Sand gedrückt; wer bei Dauerlauf außer Atem geriet, wurde als ‹Schlappschwanz› der Lächerlichkeit preisgegeben.

Wie haben wir das nur vier Jahre ertragen? Warum haben wir unsere Tränen verschluckt, unsere Schmerzen verbissen? Warum nie den Eltern und Lehrern geklagt, was uns da Schlimmes widerfuhr? Ich kann es mir nur so erklären: Wir alle waren vom Ehrgeiz gepackt, wollten durch vorbildliche Disziplin, durch Härte im Nehmen, durch zackiges Auftreten den Unterführern imponieren. Denn wer tüchtig war, wurde befördert, durfte sich mit Schnüren und Litzen schmücken, durfte selber kommandieren, und sei es auch nur für die fünf Minuten, in denen der ‹Führer› hinter den Büschen verschwunden war. Jugend muß durch Jugend geführt werden, lautete die Losung. In der Praxis hieß das: Wer oben ist, darf treten.

Mit dreizehn hatte ich es geschafft: Ich wurde ‹Jungzugführer› in einem Dörflein, wo es nur zwölf Pimpfe gab. Beim Sport und beim Geländespiel vertrugen wir uns prächtig, und wenn ich zum Dienstschluß mein ‹dreifaches Sieg Heil auf unseren geliebten Führer Adolf Hitler› ausrief, strahlten die Augen ‹meiner Kameraden›. Doch der befohlene ‹Ordnungsdienst› langweilte sie. Eines Tages muckten sie auf. Nun war die Reihe an mir zu treten. Nach Dienstschluß um sechs Uhr abends knöpfte ich mir (um im Jargon jener Jahre zu reden) die drei ärgsten ‹Rabauken› vor und ‹schliff sie nach Strich und Faden›: ‹Hinlegen – auf›, ‹An die Mauer – marsch – marsch›, ‹Zurück – marsch – marsch›, ‹Tiefflieger von links›, ‹von rechts›, ‹von links›, ‹zehn Liegestützen›, ‹fünfzehn Liegestützen›, ‹zwanzig› – so in immer schnelleren Wechseln. Ich brauchte nur zu brüllen, den Daumen auf und ab zu bewegen und die Liegestützen zu zählen, ganz so, wie ich es als Sechsjähriger schon beim Strafexerzieren des Reichsarbeitsdienstes mitangesehen hatte. Die armen Kerle stöhnten, schwitzten, schnappten nach Luft – aber sie gehorchten. Ihr (Eigen-)Wille war gebrochen.

Ich weiß nicht, wie lange ich das grausame Spiel fortzusetzen gedachte – jedenfalls machte ihm der Landlehrer nach etwa zehn Minuten ein Ende. Er hatte zwar nicht das Recht, in meine Kommandogewalt einzugreifen – aber ich mochte ihn, wollte gut mit ihm stehen, ließ mich auf sein Zureden ein. Er versprach mir, die Jungen im Unterricht zur Ordnung zu rufen – fortan gehorchten sie mir aufs Wort (ich merkte nur nicht, daß dies Verhalten nicht meiner Autorität, sondern der des Dorfschullehrers zu verdanken war).

Zuletzt waren ‹Führer und Gefolgschaft› so aufeinander eingespielt, daß wir dem Fähnleinführer (er war genauso alt wie ich) gemeinsam den Gehorsam verweigerten, als er einen unsinnigen Befehl gegeben hatte. Das war Meuterei, aber ich glaubte mich im Recht, da ich mich auf eine alte Anordnung des ‹Reichsjugendführers› Baldur von Schirach berufen konnte. Als mir ein Disziplinarverfahren drohte, legte ich mein Amt nieder, nicht ohne dem Fähnleinführer ‹privat› eine Tracht Prügel anzudrohen für den Fall, daß er mich degradieren wolle. Ich sah dann doch davon ab, nachdem mir zugetragen worden war, wie er reagiert hatte: ‹Wenn er mich auch nur mit einem Finger anrührt, kommt er ins KZ!›»[15]

Seekrieg für die Kleinen

Um bereits Kinder auf künftige Kriegsgegner einzuschwören und ihren Siegeswillen zu schüren, wandelten NS-Pädagogen das Muster des Würfel- und Figurenspiels «Reise mit Hindernissen» ab. Auszug aus den Regeln für «Wir fahren gegen England»:

«Mit Eifer verfolgt ihr alle die kühnen Taten unserer tapferen U-Boot-Männer und Flieger, die den Briten Schlag um Schlag versetzen. Was euch in Wirklichkeit noch nicht vergönnt ist, auf dem Kommandoturm eines U-Bootes zu stehen oder in schnellem Flug der englischen Küste entgegenzustreben, das könnt ihr hier im Spiel erleben. Mit diesen kleinen U-Booten und Flugzeugen sollt ihr ‹gegen England› fahren und könnt dabei, wenn ihr euch alle geschickt anstellt, die ganze englische Flotte vernichten. Das ist doch so recht ein Spiel, wie ihr es haben wollt! Seht zu, daß ihr recht viel Tonnage der Engländer auf den Meeresgrund absacken lassen könnt. Wer die höchste Tonnenzahl erreicht, hat gewonnen; der weniger Erfolgreiche wird sich beim nächstenmal schlauer anstellen, denn echte Kerle wie ihr lassen sich ja bekanntermaßen nicht erschüttern . . .

Schwarzer Punkt 1: Deutsches Flugzeug stellt beim Anflug der englischen Küste ein englisches Flugzeug zum Kampf und bringt es zum Absturz. Der Spieler darf sogleich noch einmal würfeln.

Schwarzer Punkt 2: Deutsches Flugzeug versenkt durch Bombenabwurf ein englisches U-Boot. Der Spieler darf sogleich noch einmal würfeln.

Schwarzer Punkt 3: Deutsches U-Boot wird durch Minensperre zu vorsichtigem Fahren genötigt. Der Spieler setzt einmal mit Würfeln aus, darf aber beim nächsten Wurf um die doppelte Augenzahl weiter voran . . .

Weißer Punkt 1: Deutsches U-Boot passiert Minensperren und kommt gut durch. Der Spieler rückt mit seiner Figur sogleich auf Punkt 1 (mit roter Zahl) und versenkt dort einen schweren Kreuzer . . .

Das Spiel ist beendet, wenn alle englischen Kriegsschiffe versenkt sind.›

Sein von den Nazis nicht zensiertes Tagebuch aus den Kriegsjahren 1943 bis 1945 veröffentlichte Klaus Granzow zwanzig Jahre nach Kriegsende. In ihm wird deutlich, daß keineswegs alle Jungen begeistert das braune Hemd anzogen.

«Stolp in Pommern, den 15. Mai 1943
Sie haben mich beim Schlafittchen gekriegt! Es ist herausgekommen, daß ich alle HJ-Dienste schwänze. Solange ich noch im Jungvolk war, ist alles glattgegangen. Aber zu Ostern sind wir Pimpfe vom Jahrgang 1927/28 in die Hitler-Jugend überführt worden, und ausgerechnet Günter ist mein Scharführer. Er war im Jungvolk ja schon einmal mein Jungzugführer, und nun hat er meinen Trick durchschaut!

Dabei ging alles ohne mein Zutun wie von selbst vor sich, was sie jetzt als Drückebergerei abstempeln: Zu Hause bin ich in unserem Dorf Mützenow gemeldet und gehöre deshalb zum Fähnlein 13/49, aber weil ich in Stolp zur Schule gehe und in der Stadt in Pension bin, kann ich den Dienst am Mittwoch und Sonnabend gar nicht mitmachen. Deshalb sollte ich mich eigentlich ummelden und in das Stadtfähnlein 3/49 eintreten. Einmal habe ich auch den Versuch gemacht und mich zum Appell auf dem Friedrichsplatz eingefunden. Aber der Dienst bestand nur aus Exerzieren und Gewehrübungen. Die anderen Pimpfe kannte ich alle nicht, und von den Führern wollte mich keiner in seinem Zug haben. Da bin ich eben nicht wieder hingegangen, konnte aber immer zu Hause im Dorf sagen: ‹Ich war in Stolp zum Dienst!›

In unserer Klasse wußten alle Bescheid, aber keiner hat mich verraten. Die halten dicht. Sie haben mich höchstens um meine freie Zeit beneidet, während sie Dienst schoben. Aber nun ist es Essig mit der Freizeit, denn Günter geht nun auch aufs Gymnasium, eine Klasse über mir, und das ist eine Klasse, in der fast alle eine Führerschnur, die ‹Affenschaukel›, tragen. Da Günter zum Dienst nach Hause fährt, muß ich natürlich mit, denn Erscheinen ist Pflicht. Er hat vielleicht einen Zirkus veranstaltet, als er herauskriegte, daß ich in Stolp erst einmal zum Dienst war, und er wollte mich anständig zur Sau machen.

Ich konnte mich ja nicht wehren. Denn wenn er es dem Bannführer meldet, sitze ich ganz schön in der Patsche und fliege womöglich von der Schule. Und das darf nicht sein. Ich möchte unbedingt studieren.

Und dann hat er mir noch vorgeworfen, daß ich kein einziges HJ-Lager mitgemacht hätte, nicht einmal auf Pfingstfahrt gegangen wäre. Das nächste Mal sei ich dran. Für das große Sommerlager auf der Lonske-Düne müßte er mich anmelden.

Jetzt heißt also die Parole: zackig, zackig! Und zweimal in der Woche zum Dienst! Erscheinen ist Pflicht.

Ich will ehrlich sein: Ich habe Angst vor diesem Lager, vor dem Drill und der Schleiferei. Das Schlimmste ist, daß aus unserer Klasse keiner zur Lonske-Düne fährt, auch von den Dorfjungens hat sich keiner gemeldet. Also werde ich wieder allein dort sein. Davor fürchte ich mich . . .

30. Mai 1943

Mittwochs ist der Dienst immer belämmert, aber sonnabends macht er Spaß. Denn mittwochs ist Exerzieren und Kommandosprache, sonnabends ist Singen oder Geländespiel. Wir lernen jetzt das ‹Buren-Lied›, das wir gern singen, seitdem wir alle den Film ‹Ohm Krüger› mit Emil Jannings gesehen haben. In dem Lied kommt seine Gestalt auch vor:

> «Ein alter Bur mit greisem Haar,
> der ging seinen Söhnen voran.
> Der Jüngste war kaum vierzehn Jahr,
> er scheute nicht den Tod fürs Vaterland!»

Erschütternd ist die Szene im englischen KZ, und wie die Priester mit der einen Hand die Bibel und mit der anderen Hand Gewehre verteilen.

Die Geländespiele machen wir meistens im Lunapark oder an der ‹Judenkuhle›. Neulich haben wir da nach Bernstein gesucht und nur kleine, wertlose Stücke gefunden, wie die Juden, als sie dort die Erde aufkauften und umwühlten und doch nicht reich wurden, weil die Bernsteinschicht zu dünn war.»[16]

«Ohne Wenn und Aber»

Aus dem Disziplinarrecht der Hitler-Jugend

«Befehle sind ohne Wenn und Aber durchzuführen. Disziplin und Ordnung sind nationalsozialistische Grundtugenden (Bestimmung vom 31. Januar 1936).

Eisenbahnfrevel, wie Werfen von Steinen gegen fahrende Züge, ist verboten (26. November 1937).

Fahrten ohne Uniform, auch als Einzelwanderer, sind unzulässig (25. April 1935).

Haarschnitt soll kurz sein. Stutzen der Haare durch die Einheitenführer ist verboten (12. April 1940).

Messer, wie sie in früheren Jugendverbänden getragen wurden, Hirschfänger, Seitengewehre usw., dürfen zur Uniform der Hitler-Jugend nicht getragen werden (30. Oktober 1936).

Rauchen in Uniform auf der Straße ist verboten, in Lokalen nur über Achtzehnjährigen gestattet. Rauchen im Dienst und in den Dienststellen der Hitler-Jugend ist verboten (21. Februar 1935).

Trampen, Anhalten von Kraftfahrzeugen zur Mitnahme, ebenso das Trampen auf Schiffen, ist untersagt (22. Oktober 1937).»[17]

Jugend und Krieg

September 1939: «Wir mußten zurückschlagen»

«Das Radio war angedreht; Marschmusik. ‹Wir erwarten in Kürze eine Sondermeldung!› Mein Vater verdrehte manchmal die Sendereinstellung, wobei er eine Bettdecke über Kopf und Radio zog. Denn die nichtdeutschen Sender waren seit heute morgen Feindsender . . . Der Vormarsch war planmäßig . . . Der Führer sprach nun. Wir mußten zurückschlagen. Ab heute nacht – vier oder fünf Uhr (Kriege gehen ja immer im Morgengrauen an) – wurde zurückgeschossen. Frenetisch war der Beifall. Nun war das erlösende Wort gesprochen; Deutschland marschierte. Bedrückt räumten meine Eltern die Matratzen und die Polstermöbel wieder in die anderen Zimmer . . . Um vierzehn Uhr kam eine Zusammenfassung aller Sondermeldungen des Tages; unsere Truppen standen weit in Polen.»[18]

«Und dann war er eines schönen Septembertages da, der Krieg, auf leisen Sohlen, denn Deutschland hatte ihn ja nicht erklärt, hatte nur ‹zurückgeschossen›. In aller Form, so wie wir es uns ausgemalt hatten, erklärten ihn dann die Engländer. Sie taten uns auch den Gefallen, daß wir ihn von Anfang an miterlebten. Schon am ersten Tag summten die Vickers-Wellington-Maschinen über den friesischen Weiten; über der Deutschen Bucht waren wilde Luftschlachten zu beobachten; Bomben fielen verstreut über Städte und Dörfer; fast jede Nacht dröhnten die 10,5-cm-Geschütze der Flak auf Wangerooge. Nun wollte ich nicht mehr Hitler-Junge werden, sondern Soldat: wie Major Moelders am Steuerknüppel einer Me 109 durch die Lüfte flitzen, wie Günther Prien mit einem U-Boot gen Engeland fahren, wie Guderian auf einem Panzer zum Kanal durchbrechen oder wie Rommel in Afrika vorstoßen. Statt Comic strips kauften wir uns Groschenhefte voller Kriegserlebnisse – jede Woche ein neues.

Die Schrecken des Krieges störten uns Knaben nicht, sie zogen uns an. Daß unsere Väter einberufen wurden, schien nur recht und billig. Und der ‹Heldentod› gehörte dazu.

Viele der Lieder, die wir in der Schule und später in der Hitler-Jugend lernten, handelten von der Ehre, fürs Vaterland zu sterben: Die Fahnen wehten ins Morgenrot und leuchteten zum frühen Tod, heilig Vaterland war in Gefahren, mochten wir sterben, Deutschland stürbe nicht, und fern bei Narvik lag ein kühles Grab. Bei der ‹Flaggenparade› hörten wir ehrfürchtig den abgewandelten Spruch des preußischen Kriegsdichters Walter Flex: ‹Wer auf die Fahne Deutschlands schwört, hat nichts mehr, was ihm selber gehört!›»[19]

«Unsre Fahne flattert uns voran»

Unsre Fahne flattert uns voran,
In die Zukunft ziehn wir Mann für Mann,
Wir marschieren für Hitler durch Nacht und Not
Mit der Fahne der Jugend für Freiheit und Brot.
Unsre Fahne flattert uns voran,
Unsre Fahne ist die neue Zeit,
Unsre Fahne führt uns in die Ewigkeit,
Ja, die Fahne ist mehr als der Tod.

In den Städten Schutt und Scherben

Als der Bombenkrieg Deutschland erreichte, wurde das von den Nazis gezeichnete verklärte Bild des unbesiegbaren «Großdeutschen Reiches» zunächst noch nicht angekratzt. Der Propaganda gelang es vielmehr, den Zusammenhalt der «Volksgemeinschaft» vorläufig zu stärken.

«September 1941 trat ich in das Neue Gymnasium in Nürnberg ein und fuhr jeden Tag mit dem Zug nach Nürnberg, wo ich auch zu Mittag aß. Die Lebensmittelzuteilungen waren damals sehr gut, da aus den besetzten Ländern Getreide, Fett, Eier und andere Nahrungsmittel eingeführt wurden. Am 28. August 1942 lernte ich zum erstenmal den Krieg kennen. Obwohl dieser Fliegerangriff leicht war im Vergleich zu den später folgenden, bleibt er mir doch dauernd im Gedächtnis. Damals hörte ich die ersten Granaten krepieren, die ersten Bomben fallen und sah die ersten Häuser brennen. Das hinterließ mir einen tiefen Eindruck. Meine Wut auf unsere Feinde wurde durch die Zeitungsartikel noch geschürt. So auch bei den später folgenden Großangriffen. Ich kann mich noch gut erinnern, wie ich am Morgen des 9. März 1943 in die Schule fahren wollte: auf allen Straßen der beißende Brandgeruch, qualmende Häuser, die noch nicht gelöscht waren. Hausrat lag auf den Straßen umher, zerbrochene Möbelstücke, Geschirr und Glasscherben. Die Straßenbahn konnte nicht fahren, da die Gleise an verschiedenen Stellen aufgerissen waren. Tagelang war die Wasser- und Stromversorgung unterbrochen, und man mußte in der steten Angst vor einem neuen Angriff leben. Um die Verbitterung des Volkes abzulenken, wurde sie auf die abgeschossenen Flieger gelenkt. Viele mußten damals unter den Fäusten von zornentbrannten Volksmassen ihr Leben lassen.»[20]

Auch stärkere Bombardierungen weckten bei den Jugendlichen noch keine grundsätzlichen Zweifel am Sinn des Krieges, geschweige denn am «Endsieg».

«Mit dem Sechs-Uhr-Zug erfährt man schon mehr – die Schweinfurter kehren zurück: Arbeiter, Angestellte; viele Kriegsverpflichtete, die in den Kugellagerfabriken arbeiten. Ganz schön hat's die Stadt erwischt; vor allem die zweite Welle hat ganze Viertel zusammengeschmissen . . .

Großvater wartete auf der Terrasse: Na, so schlimm wird's nicht gewesen sein mit den Terrorfliegern! Das hättst selber sehn müssen, würdest anders reden. Es waren die Englischen; und vor allem Brandbomben; aber erst haben sie alles markiert, und die Toten hat man noch gar nicht gezählt. Die Arbeit lief schon wieder weiter. Die Räder müssen rollen für den Sieg . . .

Heute fällt die Schule aus; jeder hat einen Spaten mitzunehmen und als Mitglied der Volksgemeinschaft den Schutt wegzuräumen, den die Terrorflieger hinterließen. Zwei Stunden Fahrt – mehrmals Unterbrechung. Mancher Balken raucht noch; aber das Leben läuft ziemlich normal; hatte mir alles schlimmer vorgestellt. Hier ist eine Straßenzeile völlig zerbombt. Wir werden in Gruppen eingeteilt und schaufeln das, was rechts liegt, auf die linke Seite, bahnen Wege und achten, ob nicht Vorwarnung einsetzt. Es gibt Pfefferminztee und Brot mit Marmelade; wenn das Brot teenaß wird, schmeckt es besonders scheußlich.

Um zwölf Uhr kommt ein Lastwagen, der den Schutt wegfährt. Allmählich löst sich die Einsatzgruppe auf; man weiß, wann Züge zurückfahren. Ich werfe die Schaufel in einen Hinterhof mit aufgerissener Fassade, an der noch eine zersplitterte Abortschüssel klebt, und fahre heim.»[21]

Fliegerangriffe bedrohen vor allem **größere Bahnhöfe.**

Reisende, Ihr werdet **rechtzeitig** gewarnt! · Wahrt Ruhe und Besonnenheit! Befolgt die Anordnungen der Beamten!

Verlaßt die Bahnhöfe auf kürzestem Wege und sucht den nächsten **Sammelschutzraum** auf! · Züge nur auf Weisung verlassen!

Jeder Lichtschein zeigt dem Flieger sein Ziel. **Wahrt Lichtdisziplin!** Keine Taschenlampen!

Heimweh war verboten

Gerd S. in der Kinderlandverschickung

Als im Herbst 1940 die HJ-Führung ihren ersten Aufruf zur Kinderlandverschickung (KLV) erließ, fand er ein starkes Echo: Allein in
Hamburg wurden über hunderttausend Schulkinder freiwillig von ihren Eltern angemeldet und in ländliche Gebiete verschickt. Damit
begann eine der umfangreichsten Aktionen der HJ-Führung während
des Krieges: Schulkinder aus bombengefährdeten Großstädten und
Industriegebieten sollten geschützt werden. Die Kinder wurden für
mehrere Wochen, zum Teil monatelang, in KLV-Lagern untergebracht, die ab 1942 häufig in von «Volksdeutschen» besiedelten Gebieten Böhmens, der Slowakei und Ungarns lagen. Die KLV hatte
einen solchen Umfang angenommen, daß die Lager in Deutschland
nicht mehr ausreichten.

Die KLV wurden von der Reichsjugendführung der NSDAP organisiert und finanziert. Schule und HJ waren gemeinsam für Unterricht,
Beaufsichtigung und Versorgung der Kinder zuständig. Lagerleiter
war ein Lehrer, dem ein HJ-Führer zur Seite gestellt war, der sogenannte Lagermannschaftsführer (Lamafü).

Im Sommer 1942 reisten viertausend Hamburger Kinder mit 145
Lehrkräften (Schüler-Lehrer-Relation 28 : 1) in sechs Sonderzügen in
Richtung Ungarn. Sie wurden bei volksdeutschen «Pflegeeltern» in
Siebenbürgen, in der Batschka und der Baranya untergebracht. Unter
diesen Kindern war auch der Hamburger Oberschüler Gerd S. (Jahrgang 1928), dessen Tagebücher Einblick in das Erziehungssystem der
KLV-Lager geben. Die erste KLV-Reise von Gerd S. begann im Juli
1942 und führte nach Pélmonostor, einem Ort in der Nähe von Pecs
(Fünfkirchen). Seine zweite KLV-Verschickung im darauffolgenden
Jahr ging nach Beszterce (Bistritz) in Siebenbürgen. Die Kinder waren
mit der Eisenbahn und auf Donauschiffen fünf Tage und vier Nächte
unterwegs. Der erste Aufenthalt dauerte über ein halbes Jahr, der
zweite von Anfang April 1943 bis Ende Dezember desselben Jahres.

Tagebuchnotizen und Kommentar aus heutiger Sicht geben Auskunft über Ziele, Methoden und Auswirkungen der KLV-Erziehung.[22]

10. August 1942
Um neun Uhr HJ-Dienst auf dem Sportplatz. Anschließend Vorlesung aus dem Kriegsbuch ‹*Gruppe Bosemüller*›. Am Nachmittag war eine Geländeübung. Gestern morgen marschierten wir in den Istvaner Wald. Dort wurden uns für das HJ-Leistungsabzeichen Tarnen, Melden und Entfernungschätzen abgenommen.

Bei dem ersten und zweiten Bunker ließen wir Vorposten zurück. Oben, auf dem Ende des Gebirges, bauten wir uns eine Stellung. Die Feinde hatten sich getarnt. Die eine Abteilung von vier Mann töteten wir. Am Abhang entspann sich ein harter Kampf. Nach kurzer Zeit jedoch hatten wir mit zwei ‹Überlebenden› gewonnen.

Nach dem Appell ging es zur Schule. Unser Lehrer hatte wichtige Arbeiten zu erledigen. So hielt der Lamafü die Schule ab. Wir schrieben einen Aufsatz. Das Thema hieß: ‹Meine Pflichten im KLV-Lager›.

19. September
Unser Dienst begann morgens um acht. Wir traten beim Lagermannschaftsführer an. Von dort marschierten wir zu den Bunkern. Wir übten wichtige militärische Dinge: Handgranatenwerfen und Bunkerbestürmen.

2. November
Heute lernten wir unsere neuen Lamafüs kennen. Sie kommen von der Adolf-Hitler-Schule Sonthofen. Es sind zackige Kerle, die sportlich wüst auf der Höhe sind.

Wie ich es heute sehe

Immer wieder tauchen im Tagebuch Formulierungen auf wie: «Heute wurden wir wüst geschliffen: Kniebeugen und Pumpen.» Und: «Der Lamafü hetzte uns ganz schön durch die Gegend.» Das klingt fast so, als hätte es den Jungen Spaß gemacht. Dazu Herr S. heute:

«Was einem lästig war, war dieser äußere Drill, dieses Schleifen. Ich selber bin weiß Gott kein sportlicher Typ, aber es wurden nur sportliche Höchstleistungen anerkannt, und die galten als vorbildlich, so daß man also auch aus diesem Grunde schon ununterbrochen in Schwierigkeiten steckte, wenn man regelmäßig beim 100-m-Lauf der letzte war und nicht so weit werfen konnte wie all die anderen. Und es blieb einem dann eigentlich nur noch übrig, wenigstens im Tagebuch und in dem einmal wöchentlich befohlenem Brief nach Hause zu schreiben, wie schön das alles sei.

Diese Tagebücher wurden nicht nur vom Lehrer mit Noten versehen, sondern mindestens einmal im Monat vom Lagermannschaftsführer und Lagerleiter zensiert. Es war sehr deutlich gesagt worden, was in diesen Tagebüchern stehen sollte, und man selber wußte, die Benotung kann allenfalls dann besser sein, wenn man mit diesen Floskeln das Tagebuch füllte. Sie werden also viele Bemerkungen finden, daß irgendwelche Dinge als sehr schön empfunden wurden oder als zackig und stramm und wüst – das waren so damals die gewünschten Ausdrücke. Nun kam natürlich die große Schwierigkeit, wenn man in Ungarn unter dauernder Beobachtung, Zensierung – wie immer Sie das nennen wollen – stand, daß man befürchtete, auch Schwierigkeiten für die Eltern oder für sich selber zu schaffen, wenn man nicht wenigstens nach außen das Mitmachen und Bejahen all dieser Dinge dokumentierte.»

Was ich 1942/43 notierte

24. Dezember, Heiligabend
Die Weihnachtsfeier begann mit dem Lied ‹*Hohe Nacht der klaren Sterne*›. Wir saßen in alphabetischer Reihenfolge zwischen unseren Pflegeeltern. Henry sagte ein Gedicht von Walter Flex auf: ‹*Soldatenweihnacht*›.

Nach einem Lied las der Lamafü die Geschichte ‹*Soldatenweihnacht im Weltkrieg*› vor. Dann folgte die Verteilung der Weihnachtspakete durch den Weihnachtsmann – das war der Lamafü. Ich packte mein Paket aus. Ich hatte das Buch ‹*Mein Weg nach Scapa Flow*› von unserem U-Boot-Helden Günther Prien bekommen. Mit dem Lied ‹*Gute Nacht, Kameraden*› war diese mir unvergeßliche Feier beendet.

Wie ich es heute sehe

In Erinnerung geblieben ist mir, daß eigentlich erstmalig ein sehr schöner Kontakt mit mehreren Pflegeeltern zustande kam. Zum anderen waren wir natürlich in einer ungeheuer sentimentalen Stimmung, weil das Heimweh einem doch ganz erheblich und an diesem Tag natürlich besonders stark zu schaffen machte.

Erstens hatte ein deutscher Junge damals kein Heimweh zu haben, auf der anderen Seite aber ließ sich das Heimweh natürlich auch nicht befehlen, zumal wenn man so viele Monate und so lange von zu Hause weggewesen ist. Es spielte eine ganz erhebliche Rolle, wurde aber amtlicherseits strikt unterdrückt, und da man nun natürlich das dann auch nicht laut werden lassen wollte – denn wer mag das schon zugeben –, kamen diese Dinge auch nicht ins Tagebuch hinein. Aber wenn die Briefe, die ich nach Hause geschrieben habe, noch existieren würden, dann würden Sie sicher daraus manches darüber herauslesen können.

Auch das Thema ‹Mädchen› war im Schreiben ausgeklammert. In der Tat war ich damals ziemlich unsterblich in ein volksdeutsches Mädchen verliebt, das ist gar keine Frage, aber das ging nun weiß Gott nicht an, das auch noch reinzuschreiben. Denn als Idealbild war das für das damalige Alter eben nicht vorgesehen.

Was ich 1942/43 notierte

14. Februar 1943
Im Heim sahen wir die neuesten Wochenschauen mit den Aufnahmen: Niederlage der Engländer bei Dieppe, Rommel beim Führer und den Kampf um Stalingrad. Außerdem sahen wir noch die Filme ‹*Fähnlein Florian Geyer*›, ‹*Deutsche Jugend im Einsatz*› und ‹*Der Kampf auf Kreta*›. Es hat uns allen sehr gut gefallen.

31. August
Hauptlagermannschaftsführer Gerhard Großmann mußte einer Einberufung zur Wehrmacht zufolge nach Deutschland zurück. Wir marschierten zum Bahnhof und nahmen Abschied von ihm, der uns nicht nur ein Vorbild und Führer gewesen war, sondern auch Kamerad. Noch ein paar Lieder, dann setzte sich der Zug in Bewegung und entschwand langsam in Richtung Budapest.

Wie ich es heute sehe

Wir bekamen durch Lagerleiter, Lagerlehrer oder Lagermannschaftsführer gelegentlich Informationen vom Kriegsschauplatz, das heißt, daß wir eigentlich nur die sogenannten fröhlichen Ereignisse mitgeteilt bekamen, Niederlagen und dergleichen nicht.

13. August
Herr Pöhls (unser Lehrer), der bei den Terrorangriffen auf unsere schöne Heimatstadt Hamburg Totalschaden erlitten hatte, war wiedergekommen. Er erzählte uns ziemlich viel über Hamburg.

3. November
Am Nachmittag war Dienst. Der Lamafü hielt eine weltanschauliche Schulung. Wir besprachen die Rassen.

Ein paar Tage später . . .
In Bistritz war Jahrmarkt. Ein sehr buntes Völkergemisch ist hier vertreten. Neben den Volkstrachten der Deutschen, Rumänen und Ungarn sieht man auch sehr viele Juden auf dem Markt. Sie schleichen umher und versuchen zu schachern und sich zu bereichern, wo sie nur können.

Wie ich es heute sehe

Wir hatten einen Lehrer mit einer Gruppe von gut zwanzig Jungen dabei. Der war unser Zeichen- und Kunstgeschichtslehrer hier in Hamburg gewesen und nun plötzlich verpflichtet, sämtliche Fächer zu geben, Mathematik ebenso wie Englisch, Latein, Deutsch und Geschichte, und damit war er ja nichts anderes als überfordert. Ich meine, er hat es ganz gut gemacht, aber der Schulunterricht hatte eigentlich nicht die Rolle, wie er sie sonst in diesem Alter hat.

Sicherlich war es so, daß die Lamafüs einen erheblich stärkeren Einfluß auf die Lehrer ausübten. Wie wir wagten auch die Lehrer kaum noch etwas zu sagen, weil sie ja selber unter der Zensur dieser Lamafüs standen. Es kam hinzu, daß man das Gefühl hatte, ihnen sehr hilflos, sehr rechtlos ausgeliefert zu sein. Natürlich war es so, daß die siebzehn-, achtzehnjährigen Lamafüs, die zweifelsohne im damaligen Sinne sportlich und geistig sehr auf der Höhe waren. Es waren ja auch nicht die Dümmsten, die da waren. Und daß die hier schon eine gewisse Idealfunktion gegenüber fünfzig- oder sechzigjährigen Lehrern für sich in Anspruch nehmen konnten, liegt ja auch auf der Hand. Es fehlte uns ja auch dort unten so etwas wie eine Leitfigur oder ein Vorbild in praktischer Nähe.

15. November

Am Nachmittag hatten wir Singstunde über Landsknechtlieder. Anschließend las uns der Lamafü den Bericht eines Volksdeutschen aus Ungarn vor, der als Freiwilliger der SS an der Ostfront kämpft. Der Bericht handelt von seinem letzten Einsatz und heißt ‹*Der Auftrag*›.

«Eine Meldung muß zum vordersten Gefechtsstand. Der Obersturmführer ruft: Ein Melder! Da tritt ein Reiter vor, ein junger Volksdeutscher aus Ungarn. Mit derselben bedingungslosen Einsatzbereitschaft, mit der er seine Heimat verlassen hat, steht er auch jetzt in strammer Haltung vor seinem Chef. Der Obersturmführer erklärt ihm, daß diese Meldung unbedingt durch muß – und zwar auf dem schnellsten Wege. Und dieser Weg ist gefährlich. Das weiß der junge Reiter. Aber die Gefahr schüchtert ihn nicht ein. Nein, stolz und mutig wird er bei dem Gedanken, daß ihm allein solch wichtiger Auftrag anvertraut ist. Als er das Pferd besteigt, da ist es, als wolle er dieses Gefühl des Stolzes auch auf das Tier übertragen. Und sein Pferd versteht ihn. Im Galopp geht es vorwärts. Nun reitet er hier für seine Heimat und das Land seiner Vorfahren durch Rußland, eine wichtige Meldung in der Tasche. Kaum hat er die Stellung seiner Truppe verlassen, da eröffnet der Feind das Feuer auf ihn. Er preßt sich an den Hals des Pferdes. Das Pferd weiß, um was es geht. Noch zweihundert Meter bis zum Gefechtsstand. Werden wir es schaffen? Einschlag auf Einschlag. Noch hundert Meter, fünfzig Meter – da saust ein Einschlag vor dem Kopf des Pferdes nieder. Die berstende Granate zerreißt den Leib des Tieres. Im Stürzen hat der junge Reiter nur den einen Gedanken: Die Meldung! Und nun liegt er im blutgefärbten Schnee und kann sich nicht bewegen. Beide Beine sind zerschlagen. Da sieht er zwei Kameraden auf sich zukriechen. Sie holen ihn. Vor freudiger Erregung zittern ihm die Hände, als er die Meldetasche öffnet. Nun kommt die Meldung doch durch! Nach einigen Stunden fährt der Schwerverwundete auf einem Schlitten an seinem Obersturmführer vorbei. Das Unternehmen ist erfolgreich beendet, die feindliche Stellung ausgehoben. Der Obersturmführer tritt an den Schlitten. Da meldet der junge Reiter mit fester Stimme: Befehl mit Verzögerung ausgeführt! – Der Obersturmführer drückt ihm bescheiden die Hand – fragt, wie es ihm geht. Ganz schlicht antwortet der junge Volksdeutsche: Es ist nicht schlimm, Obersturmführer, Hauptsache, die Meldung ist durch. – Und seine Augen leuchten dabei. Er ist glücklich und stolz.»

Wie ich es heute sehe

Wenn ich zurückblicke, erfüllt mich eine ganz große Wut über die gestohlenen Jahre, die sehr entscheidend sind in der ganzen Entwicklung, und auch darüber, daß man damals nicht vielleicht mutiger war, um sich aufzulehnen. Ich vergesse nicht die zum Teil sehr schönen Erlebnisse, die man hatte, aber insgesamt gesehen meine ich, daß die politische Indoktrination so sehr zu Widerwillen und Ablehnung geführt hat, daß nichts davon hängengeblieben ist, was man heute vielleicht noch bejahen könnte.

Was ich 1942/43 notierte

30. November 1943
Seit einiger Zeit laufen hier Gerüchte herum über unsere baldige Rückkehr. Beim Basteln bewahrheitete sich das Gerücht. Wir fahren am 7. Dezember. Die Schule fiel glücklicherweise aus. Wir erhielten unsere Seifenportionen. Während des Nachmittagsdienstes sprachen wir über Rassen. Gewogen: 66,5 Kilogramm, 175 Zentimeter.

Wie ich es heute sehe

Ich bin dann im Januar 1944 mit fünfzehneinviertel Luftwaffenhelfer geworden. Kriegte, was mir unvergeßlich bleiben wird, zu meiner eigenen Konfirmation vier halbe Tage Sonderurlaub, wurde dann nach einem Jahr Luftwaffenhelfertätigkeit überstellt zum ‹Reichsarbeitsdienst im Wehrmachtseinsatz›, wie es hieß, mit voller militärischer Ausbildung und Einsatz, und bin dann im Spätherbst 1945 aus der Gefangenschaft, also mit siebzehn Jahren, wieder nach Hause gekommen.

Schießen, tarnen, exerzieren

Die Kriegsjugend im Wehrertüchtigungslager

Mit fortschreitender Dauer des Krieges wurden immer jüngere Jahrgänge zum Wehrdienst eingezogen. Die HJ richtete Wehrertüchti-
gungslager (WE) ein, die Vorstufe zum Fronteinsatz.

«Bublitz, den 20. Juli 1943
. . . Die Einberufung kam ganz plötzlich. Ich hatte mich sooo auf die
Sommerferien gefreut, da kam der Bescheid, daß ich mich zur vormi-
litärischen Ausbildung am 18. Juli in Bublitz einzufinden hätte . . .
   Gestern hatte ich gleich Torwache. Das Lager ist von einem hohen
Stacheldrahtzaun umgeben. Davor steht ein richtiges Schilderhäus-
chen. Einer, der Wache steht darin, der andere muß patrouillieren.
Mein Wachkumpan kam gleich in den Karzer. Er hatte in dem
Häuschen unter seinem Regenmantel ein Mädchen versteckt. Das ist
streng verboten. Man will den Vorfall sogar an die Schule und seinen
Eltern melden . . .

25. Juli 1943
Erste Woche im WE rum. Heute können wir ein bißchen verpusten
nach dem anstrengenden Dienst. Wir trainieren für das HJ-Leistungsabzeichen in Silber und den Reichsschwimmschein. Dazu Ge-
wehrunterricht, Exerzieren, Kartenlesen, Tarnen, Geländeübungen,
Sport . . . es reißt nicht ab. Und dann schießen, schießen, schießen.
Und das ist meine schwächste Seite. Beim Abkommen mache ich
immer Fehler, besonders den Rückschlag fange ich nicht richtig auf.
Liegend aufgelegt schaffe ich sogar mal eine 10, aber liegend freihän-
dig heißt es immer wieder ‹Fahrkarte›! Ich ärgere mich darüber, denn
die anderen lachen mich aus. Gerd hat sehr gut geschossen, auch
Peter. Es ist natürlich zwischen allen Kameradschaften ein Wettstreit
ausgebrochen, jede will die meisten Punkte haben.
   . . . bei den Fahnensprüchen zum Morgenappell hab ich mich bla-
miert, das heißt mit Peter de Boor zusammen. Weil wir in unserem
Zug die Längsten sind, marschieren wir abwechselnd als Flügelmän-
ner und müssen dadurch die Fahnensprüche sagen, wenn die Haken-
kreuzfahne hochgezogen wird. Das erste Mal habe ich den Spruch aus
der Edda gerufen, den wir im Deutschunterricht lernten: ‹Besitz
stirbt, Sippen sterben, du selbst stirbst wie sie! Eins aber weiß ich, das
ewig lebt: der Toten Tatenruhm!› . . .
   Weil Peter beim Fahnenappell so gelacht hatte, wurde er nun

abkommandiert, den Fahnenspruch zu sagen. Und was schrie er gestern in die Runde? Wir faßten es kaum: ‹Wir Deutschen fürchten Gott und sonst nichts auf der Welt!›

Peter mußte nach dem Morgenappell gleich zu den beiden Lagerführern kommen, erst zu dem HJ-Bannführer und dann zu dem SS-Scharführer. Sie wollten von ihm wissen, was er mit dem Spruch habe sagen wollen, ob er etwa mit dem ‹sonst nichts fürchten› die Schleiferei oder gar die SS gemeint habe. Peter hat ihnen erklärt, daß dieser Ausspruch von einem der größten deutschen Staatsmänner, von Bismarck, sei. Das wußten die dummen Kerle natürlich nicht. So haben sie ihn laufenlassen.

Heute mußte ich zum Bannführer kommen. Er fragte mich nach Peters Vater. Ich sagte ihm, daß ich voriges Jahr von ihm eingesegnet worden sei und er jetzt Divisionspfarrer an der Front wäre. Da schwieg er beschämt, nachdem er bei dem Wort ‹Pastor› zuerst ‹Aha!› gesagt hatte . . .

Bublitz, den 1. August 1943

Heute haben wir sogar Ausgang, damit wir uns einmal das Städtchen ansehen können, das wir sonst nur vom Durchmarschieren und von den Geländeübungen und Nacht-Biwaks kennen.

Ich bin froh, mal wieder außerhalb des Zauns und allein zu sein. Der Dienst ist wirklich in Schleiferei ausgeartet, nachdem unser Zug am schlechtesten bei den Sportwettkämpfen und vor allem beim Schießen abgeschnitten hat. Auch haben sich bei uns die wenigsten zur SS gemeldet. Jeden Tag erscheinen die Unterscharführer in unseren Stuben und werben für die SS.

Im anderen Zug haben sich fast alle auf zwölf Jahre bei der Waffen-SS verpflichtet. Sie können sich den Truppenteil aussuchen, haben sich fast alle zur Panzertruppe gemeldet. Die schieben jetzt vielleicht eine ruhige Kugel und haben leichten Dienst. Nur wir ROB [Reserve-Offiziers-Bewerber] werden weiter geschliffen. Das ist wirklich ungerecht. Wieso werden wir, die wir zur Wehrmacht gehen, schlechter behandelt als die Jungens, die zur SS gezogen werden? Wir kämpfen doch alle für Deutschland, für das gleiche Vaterland. Oder gibt es da so große Unterschiede zwischen den Truppengattungen? Besteht eine Konkurrenz zwischen den einzelnen Wehrmachtsteilen oder den einzelnen Generalen vom Heer, von der SS und der Luftwaffe? Denn die Offiziere aller Truppenteile waren doch bei uns auf der Schule und haben in den oberen Klassen Freiwillige geworben. Nur SS-Führer waren nie da, die SS hat zur Erfassung der Jungen nur die WE-Lager eingerichtet.

Wochenplan im KLV-Lager

Uhr	Montag	Dienstag	Mittwoch
7.00	Wecken: Waschen, Betten-bauen, Stuben-dienst, Gesundheits-appell (LMF)	wie Montag	wie Montag
8.00	Flaggen- bzw. Morgenappell (LL u. LMF)	wie Montag	wie Montag
8.15	1. Frühstück (LMF)	wie Montag	wie Montag
8.45 10.45	Unterricht (LL) 2. Frühstück (LL)	wie Montag	wie Montag
13.00	Mittagszeit: Mittagessen, Bettruhe oder Freizeit (LMF)	wie Montag	wie Montag
15.00	Sport: Nach den Monats-zielen i. d. Richt-blättern «Unser Lager» (LMF)	Spielzeugwerk der KLV-Lager (LL u. LMF)	15.00–18.00
16.00	Kaffeetrinken (LMF)	wie Montag	Sport (siehe «Unser Lager») Ausmarsch, Wandern
16.15	Schulaufgaben (LL)	wie Montag	oder Werkarbeit, Bildbandvorfüh-rung, Singen und Musik, Lesen,
18.00	Putz- u. Flickstunde Schuhappell (LL u. LMF)	Heimnachmittag (LMF)	Spielen usw., mit Unterbrechung durch Kaffeepause (LMF)
19.00	Abendessen (LMF)	wie Montag	wie Montag
19.30–20.30	Polit. Wochen-bericht (30 Min.) (LMF oder LL) Dienstunterricht (30 Min.) (LMF)	Singen (LMF)	Freizeit im Lager (LMF)
21.00	Zapfenstreich (LMF)	wie Montag	wie Montag

Erklärung: LL = Dienst wird vom Lagerleiter(in) selbst geleitet
LMF = Dienst wird vom Lagermannschaftsführer(in) geleitet
LL u. LMF = Beide sind an Gestaltung u. Durchführung beteiligt, LL leitet

64

Donnerstag	Freitag	Sonnabend	Sonntag
wie Montag	wie Montag	wie Montag	8.00 Wecken (LMF)
wie Montag	wie Montag	wie Montag	9.00 Flaggenappell (LL u. LMF)
wie Montag	wie Montag	wie Montag	9.15 Uhr Frühstück 1. und 2. Frühstück zus. (LMF)
wie Montag	wie Montag	wie Montag	10.00 Morgenfeier (LL u. LMF)
wie Montag	wie Montag	wie Montag	wie Montag
Freie Beschäftigung im Lager (LMF)	Sport: siehe «Unser Lager» (LMF)	15.00–18.00	15.00–18.00
wie Montag	wie Montag	Sport oder freiwillige Beschäftigung: Musizieren, Spielen, Lesen, mit Unterbrechung durch Kaffeepause DJ Geländespiele JM Wanderung, Fahrtenspiele, Spielzeugwerk (LMF)	Freizeit im oder außer dem Lager oder Wettkämpfe oder Dorfnachmittag oder Wanderung Siehe nähere Erläuterungen zur Gestaltung des Sonntags (LMF)
wie Montag	wie Montag		
Spielzeugwerk der KLV-Lager (LL u. LMF)	wie Montag Kleiderappell		
wie Montag	wie Montag	wie Montag	wie Montag
Schreibstunde (LL)	Leseabend (LMF)	Spielzeugwerk der KLV-Lager (LMF)	Spielabend oder Bunter Lagerabend oder Freizeit (LMF)
wie Montag	wie Montag	wie Montag	nicht nach 22 Uhr Zapfenstreich (LMF)

Etwas Wichtiges habe ich aber hier im WE gelernt. Erstens gehe ich jetzt gerade und nicht mehr so krumm als langer Lulatsch durch die Welt, und im Unterricht ‹Nahkampf ohne Waffen› habe ich viele Griffe beigebogen gekriegt, mit denen ich mich meiner Haut erwehren kann. Das kann man immer gebrauchen. Eine feine Sache ist das, durch Geschicklichkeit, Klugheit und Schnelligkeit einen stärkeren Gegner kaltzustellen oder ihm zumindest überlegen zu sein. Denn vor Schlägereien hatte ich sonst immer Angst, nun habe ich sie nicht mehr. Ich weiß ja, wie ich aus dem Schwitzkasten rauskomme und wie ich einen Würgegriff abwehre und den Angreifer aufs Kreuz legen kann. Wirklich eine tolle Sache! Das muß ich zu Hause weiterüben, damit man es nicht verlernt.»[23]

«Und setzet ihr nicht das Leben ein»

Schulungsplan für Wehrertüchtigungslager

I. Unsere Feinde
1. Woche:
1. Schulungsstunde: Die Ursachen dieses Krieges
2. Schulungsstunde: Das Judentum
3. Schulungsstunde: Der Bolschewismus
4. Schulungsstunde: Das anglo-amerikanische Weltherr-
schaftsstreben
5. Heimabend: Unser Freiheitskampf

II. Unsere Weltanschauung
2. Woche:
1. Schulungsstunde: Der Rassengedanke
2. Schulungsstunde: Der Rassengedanke
3. Schulungsstunde: Das Volk
4. Schulungsstunde: Fremdvolkpolitik
5. Heimabend: Gedenke, daß du ein Deutscher bist

3. Woche:
1. Schulungsstunde: Unser Sozialismus
2. Schulungsstunde: Persönlichkeit und Kampf
3. Schulungsstunde: Rein bleiben und reif werden
4. Schulungsstunde: Kamerad und Kameradin
5. Heimabend: Wer leben will, der kämpfe

III. Unser Führer
4. Woche:
1. Schulungsstunde: Unsere Weltanschauung
2. Schulungsstunde: Das Leben des Führers
3. Schulungsstunde: Das Leben des Führers
4. Schulungsstunde: Das Werk des Führers
5. Heimabend: Führer und Gefolgschaft

5. Woche:
1. Schulungsstunde: Die Geschichte der NSDAP
2. Schulungsstunde: Aufbau und Aufgabe der NSDAP

Mitkämpfer für den «Endsieg»

Im Einsatz als Marinehelfer

Von der Schulbank an die Front – das war das Schicksal vieler
Gymnasiasten. Über die Reaktionen unter den Schülern berichtet
Klaus Granzow.

«Stolp, den 21. Oktober 1943
... heute hat Rex Zillmann uns in der Schule eröffnet, daß die drei
obersten Klassen als Marinehelfer in den Einsatz kommen. Und zwar
sollen wir zum 1. Januar 1944 eingezogen werden. Uns überraschte
das alle nicht so sehr, denn lange wurde schon gemunkelt, daß auch
wir, wie die anderen Schulen im Reich, zum Flak-Einsatz kommen.
   Einerseits freuen wir uns nun, aus der alten Penne wegzukommen
und diese heiligen Hallen nie wiederzusehen, aber andererseits haben wir auch Bedenken. Denn wir fragen uns untereinander immer
wieder: ‹Was wird dann überhaupt mit dem Schulabschluß?› und:
‹Bekommen wir das Abitur, wenn wir dort eingezogen werden?›
   Den ganzen Nachmittag haben wir schon diskutiert, aber nun
haben wir uns doch mehr dazu entschlossen, uns zu freuen. Pieti
Dittberner und Muck von Treuenfeld waren mit dem Rad bei mir,
dann sind wir noch zu Gerd in die Ringstraße gefahren, wo Tegge und
Steffen waren. So trafen wir uns alle immer wieder und hatten immer
das gleiche Thema vor: wir werden Marinehelfer! ...

Neuendorf bei Zinnowitz, den 3. November 1943

Inzwischen sind wir über Usedom und Wollin verteilt worden, wo die verschiedenen Batterien der Marine-Artillerie liegen. Die Klasse 8 ist nach Wollin gekommen, Klasse 7 blieb in Swinemünde, und wir liegen nun hier in Neuendorf bei Zinnowitz. Mit Lastwagen hat man uns hierhergeholt und uns in zwei Stuben aufgeteilt. Wir Stolper sind auf einer Stube geblieben, dazu noch einige Schweriner.

Aber hier wußte man zuerst auch nichts mit uns anzufangen. Schulunterricht ist jedenfalls noch gar nicht in Sicht. Die Tage verliefen sehr ruhig . . .

Der Dienst ist furchtbar uninteressant und trocken. Doch hoffen wir sehr, daß wir bald an den Scheinwerfern und Horchgeräten ausgebildet werden, die hier stehen und die jetzt noch von Marinehelferinnen bedient werden. Unser anderer Ausbilder, Obermaat Hansen, deutete uns schon an, daß wir bald eine MA-Ausbildung [Marine-Artillerie] bekämen. Darauf freuen wir uns sehr, denn dieser Infanteriedienst ist wirklich stur.

Sehr gut ist allerdings das Essen. Hier bekommen wir und alle einfachen Matrosen genau dasselbe Essen wie die Offiziere. Es werden keinerlei Unterschiede gemacht. Das finden wir alle großartig. Der Leutnant Heiduk, der unsere Ausbildung überwacht, kümmert sich sehr um alles. Neulich mußte ich für ihn sogar versuchen, einen Sabotageakt in der Montagehalle auszuführen. Er glückte aber nicht, ich wurde sofort festgenommen, und die Dienstverpflichteten wurden belobigt.

Pritter auf Wollin, den 7. November 1943

Vorgestern kam plötzlich Leutnant Heiduk aufgeregt in unsere Baracke gelaufen und eröffnete uns, daß wir zur 8. Batterie nach Pritter abberufen worden seien, wo wir sofort in den Einsatz kommen sollten, weil wir dort gebraucht würden. Wir jubelten, denn endlich war die Infanterie-Grundausbildung zu Ende! So dachten wir.

Aber als wir hier in Pritter ankamen, begrüßte uns Oberleutnant Reiß damit, daß wir erst eine achtwöchige Grundausbildung bekämen. Als er unsere langen Gesichter sah, sagte er, daß wir auch gleich an die Kanone 10,5 Zentimeter könnten. Da war unsere Freude natürlich übergroß, denn darauf hatten wir ja gewartet . . .

Studienrat Aßmann ist hier jetzt bei uns und wird nun langsam den Unterricht organisieren. Nun, wir kümmern uns darum noch nicht. Für uns gibt es hier soviel Neues zu lernen und zu sehen, daß wir für die Schule weder Zeit noch Interesse haben, was ein Wunder –?

Nun sind wir wieder mitten in der Schleiferei drin. Dieser Infanterie-dienst ist wirklich zum Kotzen. Unser Ausbilder hier ist der Hauptge-freite Schick, noch jung und gar nicht ein bißchen schick, vielmehr jähzornig, unberechenbar und schleift uns auf die leise Tour im Sand und mit voller Ausrüstung die Hänge rauf und runter . . .

Die Ausbildung am Geschütz ist dafür aber um so interessanter und macht uns allen Spaß. Die Grundbedienung beherrschen wir längst. Jeder von uns kann alle zehn Nummern bedienen. Wir Marine-helfer sind aber meistens nur für Höhe (Nr. 1), Seite (Nr. 2) und Zünder (Nr. 10) vorgesehen.

Alarmmäßig bin ich mit Gerd und Muck am zweiten Geschütz eingeteilt. Wir haben fast jede Nacht Alarm, denn Berlin wird dau-ernd bombardiert, und da kommen viele Flugzeuge in unsere Plan-quadrate . . .

Landgang haben wir noch nicht gehabt, da wir noch nicht vereidigt sind. In Zinnowitz durften wir einmal in geschlossener Formation die Stadt besichtigen. Aber das war wirklich albern, wir fühlten uns wie die letzten Menschen, wie wir in Zweierreihen durch die Straßen tobten. Nur für die Schneidemühler war es interessant, weil sie bei dieser Gelegenheit zum erstenmal das Meer sahen. Wir andern aber hatten keine rechte Freude an diesem ‹ersten Landgang›.

18. November 1943

Wir haben zum erstenmal geschossen! Das war toll. Wenn wir auch leider nur zwei Schuß abgegeben haben, so war es für uns doch ein großes Erlebnis, zum erstenmal die Kanonen dröhnen zu hören.

Der Angriff galt wieder einmal Berlin, und auf dem Rückflug sind meistens einzelne Flugzeuge versprengt oder vom Kurs abgekommen und fliegen dann die Oder hinauf zur Ostsee. Da das ja sicherlich nicht der letzte Angriff auf Berlin gewesen sein wird, hoffen wir, daß wir bald öfter schießen werden.

Uns gefällt es jetzt schon viel besser in Pritter bei der 8. Batterie als im Anfang. Das Essen war zuerst miserabel. Dann kamen eines Tages Kapitän Rolle und Kapitän Loewe zur Kontrolle, denn von Below hatte sich heimlich über seinen Vater (er ist wohl General) be-schwert, und nun gibt es wirklich genug zu essen, und auch mittags ist alles vernünftig und schmackhaft zubereitet.

Kino ist schon dreimal im Kantinensaal gewesen, dann ein Wil-helm-Busch-Abend, zum 1. Advent Gottesdienst, ein Vortrag über die Kampfmoral der Japaner und ein Vortrag über England und Indien.

Heute wurden wir vereidigt oder ‹verpflichtet›, denn, weil wir noch keine richtigen Soldaten sind, war es wohl noch kein militärischer Eid. Wir müssen ja zu der Marine-Uniform auch die HJ-Binden am Ärmel tragen. Doch werden wir uns aus dieser Anordnung nicht viel machen. Die Hakenkreuzbinden zeigen gleich, daß wir erst fünfzehn und sechzehn sind. Wenn wir sie nicht umbinden, gelten wir als richtige, ausgewachsene Matrosen. Also werden wir ‹ohne› Binden gehen! Man kann uns sonst auch viel zu leicht mit der Marine-HJ verwechseln, und über die sind wir doch längst hinaus. Wir wollen richtige Seebären sein! Mit Seegang und Landgang!»[25]

Riesengrab Dresden

Ernüchterung über den Krieg brachte für viele Deutsche die verstärkte Bombardierung der Großstädte. Die Zerstörung Dresdens durch englische Luftangriffe gilt bis heute als schrecklichstes Beispiel.

«11. Februar 1945
Mein Marschbefehl geht in Richtung Osten, zur 3. Batterie 3. nach Kroppen. Morgen geht es nach Dresden.

Coswig, den 18. Februar 1945
Sechs Tage dauert nun schon unsere Fahrt. Wir sind in ein heilloses Durcheinander geraten. Die 3. Batterie haben wir noch immer nicht erreicht. In Dresden hatten wir scharfe Kontrolle und wurden von den Kettenhunden aus dem Zug geholt. Alle Soldaten, die Dresden passieren, werden hier festgehalten und zur Frontleitstelle nach Coswig gebracht. So ging es uns auch. Hier werden aus Urlaubern, Kranken und Verwundeten neue Batterien und Regimenter zusammengestellt und an die Front geschickt. Nun melde ich mich nicht mehr freiwillig, jetzt laß ich mich schieben und einteilen, wie es gerade trifft. Das habe ich von den alten Landsern in den paar Tagen gelernt. Hier sind alle stur und abgestumpft wie Panzer.

Was haben wir aber auch erleben müssen! Kein Wunder, daß man gefühllos wird. Den Angriff auf Dresden haben wir überstanden. Es ist mir immer noch wie ein Wunder, daß ich mit dem letzten Soldatentransport aus der Hölle herauskam. Hier von Coswig aus haben wir das Furchtbare gesehen: die Weihnachtsbäume [Leuchtfeuer zur Markierung der Bombenziele] standen taghell am Himmel, die Phosphorkanister fielen in unvorstellbarer Menge und erst die Bomben!

Ein furchtbares Gefühl ist das, so untätig mitansehen zu müssen, wie Himmel und Erde brennen. Bei der MA in Swinemünde standen wir doch wenigstens unseren Mann und konnten uns gegen die Angriffe wehren und dazwischenfunken. Aber hier war es ganz anders: Man wußte, daß da Tausende von Menschen sterben und verbrennen, und man konnte nur schauen und schauen und die Wut kriegen. Denn das war kein buntes Feuerwerk an der Ostsee, das da war die Hölle, das Fegefeuer.

Es müssen viele, viele Bombenteppiche gewesen sein, um 22 Uhr begann es, und nach Mitternacht fielen immer noch die Bomben. Der Alarm hörte gar nicht mehr auf. Es gab überhaupt keine Entwarnung mehr.

Wir wurden gegen Morgen zusammengetrommelt und auf Lastwagen geladen. Die Sanitäter und die alten Frontsoldaten zuerst, dann wir Jungen.

Als wir in Dresden-Neustadt ankamen, war schon heller Vormittag, dabei hatte man das Gefühl, es sei gar nicht Nacht gewesen. Was wir sahen, war grauenhaft, ich war erschüttert. Mehr kann ich einfach nicht sagen. Die Feder sträubt sich, so etwas zu beschreiben. Wir kamen auch gar nicht dazu, aufzuräumen oder zu helfen. Es war gar nicht möglich, in die Innenstadt vorzudringen. Ein Offizier sagte uns, wir sollten einen großen Graben um den Kern von Dresden ausschaufeln, dort hinein würde eine breite Kalk- und Schwefelschicht gestreut, damit aus dem Riesengrab sich keine Seuchen verbreiten. Man spricht von über 200000 Toten. Man kann es aber nur schätzen, denn auf dem Hauptbahnhof sind viele Tausende von schlesischen Flüchtlingen gewesen, die alle verbrannt sind. Keiner kennt ihre Zahl, keiner kennt ihre Namen.

Dresden ein Riesengrab! Und vor ein paar Wochen habe ich es noch in seiner ganzen Pracht gesehen. Nun ist es für immer dahin, alles ist zerstört.

Aber das ist nicht so erschütternd. Viel schlimmer ist der Tod der vielen Menschen. Denn vielleicht sind auch Vater und Mutter und Waltraud auf der Flucht, und in Stettin geschieht das gleiche mit den pommerschen Flüchtlingen wie hier mit den Schlesiern. Doch ich will mich zwingen, nicht daran zu denken. Stur bleiben, stur bleiben, sonst halte ich nicht durch.

Zu langen Überlegungen hatten wir auch in Dresden-Neustadt nicht viel Zeit. Denn mittags kam neuer Alarm. Sofort hieß es: mit den Fahrzeugen raus aus der Stadt. Ehe wir mit unseren klapprigen Holzvergasern in Gang kamen, fielen schon wieder die Bomben. Wir flüchteten in einen Keller, der aber so überfüllt war, daß wir nur kurz dort drinblieben. Sobald die erste Einflugwelle vorbei war, sprangen wir wieder auf unseren Wagen und brausten in Richtung Coswig. Hinter uns Einschlag auf Einschlag. Der Bombenteppich immer hinter uns her, Neustadt war dran, das war offensichtlich. Doch wir kamen wieder heil heraus.

Ich bin total erledigt. Was ist das: Krieg? Das ist Mord! Wo ist noch ‹Front›! Ist das hier nicht viel schlimmer, was die Zivilisten erleiden als das, was Soldaten vorne durchstehen? Und das Schrecklichste: nicht helfen können!»[26]

Schule

«Ernst und würdig stand der Führer und nahm
den Vorbeimarsch der Formation ab!»
(Aus: Kurt Halbritter: Adolf Hitlers Mein Kampf)

Im Sog des Regimes

Welche Auswirkungen hatte die Machtübernahme durch die Nazis auf die deutschen Schulen? Hans Günther Zmarzlik erinnert sich an seine Pennälerzeit:

«Ich hatte einen jüdischen Mitschüler. Sein Vater war dekorierter Frontoffizier des Ersten Weltkrieges. Er selbst, obwohl wegen Unsportlichkeit nur mäßig geschätzt, gehörte noch dazu. 1938 erschien er eines Tages nicht mehr, dafür der Direktor, um mitzuteilen, daß jener nun eine jüdische Schule in Berlin besuchen werde. Wir wußten, daß er nicht freiwillig gegangen war, und waren verstört. Aber nur einen Moment lang.

Unser Direktor war Nationalsozialist. Ein ‹alter Kämpfer›, der bald nach der Machtübernahme seine Chance erhielt. Er war nicht beliebt, aber auch nicht verhaßt. Er galt als ‹kleinkariert›, war borniert, aber wohlmeinend. So waren viele, die damals kleine Karriere machten.

Einmal stellte er mich, Obertertianer, und sagte: ‹Du bist doch Führer in der HJ, warum gehst du dann noch zum katholischen Religionsunterricht?› Ich ging nicht gern zum katholischen Religionsunterricht. Der war langweilig. Aber mich ärgerte die Anzapfung, und ich antwortete: ‹Herr Direktor, ich bin nun einmal katholisch, also bleibe ich dabei.› Da sagte er: ‹Da hast du recht. Man soll seiner Überzeugung treu bleiben.› Das war typisch für die Mentalität bürgerlich geprägter Nationalsozialisten, die über jeden Opportunismusverdacht erhaben sein wollten und in der Fortexistenz der Kirchen im Grunde ein moralisches Alibi fanden.

Und wo standen die Lehrer? Nur wenige waren überzeugte Nationalsozialisten, die meisten mehr oder weniger deutschnational gesinnt oder auch jugendbewegt. Die äußerste Linke im Kollegium reichte nicht weiter als bis zu einem ehemaligen Angehörigen der Deutschen Volkspartei. Er gab sich kulturell emanzipiert, wußte aber Politik von Humanität behaglich zu trennen.

Er hat zum Beispiel noch 1936 im Unterricht gesagt: ‹Nun, Heine dürfen wir ja offiziell nicht zur Kenntnis nehmen, aber ‹*Belsazar*›, das ist ein so gutes Gedicht, das lernen wir jetzt.› Doch derselbe Lehrer hat auch mit genüßlicher Freude von den Praktiken der Faschisten in Italien erzählt, politische Gegner nachts aus den Betten zu holen, ihnen die Hosen zuzubinden, Rizinus einzuflößen und sie dann stundenlang herumzujagen. Ich fand das niederträchtig, sagte es auch. Er nannte es Gefühlsduselei, die von der harten Wirklichkeit der Politik nichts wisse.

Anfang 1939 wurde zur Jahresarbeit vor dem Abitur das Thema gestellt: Der Soldat – das deutsche Mannesideal! Ich erklärte dem Deutschlehrer, der Soldat sei mein Mannesideal nicht, ich könne also nicht darüber schreiben. Er grübelte etwas und gab mir das Thema: Nationalsozialismus und Gewerkschaften. Das war unangenehm, weil als Gegenstand trocken. Doch ich hielt mich in den entscheidenden Punkten an das einschlägige Kapitel aus ‹Mein Kampf›, halb aus taktischen Gründen, halb überzeugt, daß hier der Gewerkschaftsbewegung das richtige Schlußwort gesprochen werde.

Keiner in unserer Klasse hatte ‹Mein Kampf› je gelesen. Auch ich hatte das Buch nur zitatweise benutzt. Wir wußten überhaupt nicht viel von der NS-Ideologie. Auch der Antisemitismus wurde uns mehr randweise, zum Beispiel über Richard Wagners Schrift ‹Das Judentum in der Musik› in der Schule nahegebracht – und außerhalb der Schule durch die Aushängekästen des Stürmers eher fraglich gemacht. Denn hier war die Primitivität schon vom Niveau her beleidigend. Was uns dennoch zum Hinschauen reizte, war die pornographische Schlagseite des Blattes – eine Spezialität, die in diesem Staat sonst schwer zu haben war.

Auch mit der Rassenlehre war es nicht weit her. Im Biologieunterricht bekamen wir etwas über Hans F. K. Günthers Thesen zu hören. Rassetypen wurden erklärt. Für kurze Zeit war man geneigt, die ‹Nordischen› unter uns zu beneiden. Aber es gab ja Entschädigungen für jeden. Ich zum Beispiel, nach Günther ein ‹Ost-Balte›, war nicht zum Führen geboren, durfte mir jedoch Fähigkeiten im zweiten Glied zuschreiben, dazu Sprachbegabung und Musikalität – man konnte zufrieden sein. Und man nahm das alles ja auch höchstens momentan ernst.

Dennoch sind wir politisch programmiert worden: auf Befehl und Gehorsam, auf die soldatische ‹Tugend› des Jawohl-Sagens in strammer Haltung und auf den Denkverzicht, wenn das Reizwort ‹Vaterland› fiel und von Deutschlands Ehre und Größe die Rede war.

An der Stirnwand der Aula, in der wir viele Führerreden als ‹Gemeinschaftsempfang› hörten, stand zu lesen: ‹Das ist die Wirkung edler Geister / Des Schülers Kraft entzündet sich am Meister / Doch schürt sein jugendlicher Hauch / Zum Dank des Meisters Feuer auch.›

Das war wie eine Stimme aus einer humaneren Welt. Wir prägten's uns ein, aber es hat uns nicht geprägt. Es hatte keinen Platz neben dem Führerwort, das uns damals so häufig begegnete: ‹Wer leben will, der kämpfe also. Und wer nicht streiten will in dieser Welt des ewigen Ringens, verdient das Leben nicht.›

Unsere Lehrer haben uns diese Sprache plausibel gemacht. Sie waren fast durchweg Frontkämpfer oder doch Soldaten des Ersten Weltkriegs, zum guten Teil über eine Schnellausbildung in ihren Beruf hineingeraten. Sie waren immer bereit, den Unterricht zu unterbrechen, wenn wir sie auf ihre Kriegserlebnisse brachten, und waren dann anhaltend gesprächig über Kampfszenen und Frontkameradschaft in Sieg und Niederlage. Es schien, als hätten sie in Friedenszeiten gar nicht gelebt.

Zur Pflichtlektüre im Deutschunterricht gehörte in großem Umfang Weltkriegsliteratur. Doch haben wir sie auch auf eigene Faust verschlungen. In der Regel waren es Bücher vom Schlage der ‹Sieben vor Verdun› oder ‹Gruppe Bosemüller›. Hier triumphierte auch im Grauen der Materialschlacht die Frontkameradschaft, und wer starb, erhielt wenigstens noch das Eiserne Kreuz. Vereinzelt tauchten Variationen auf: der jugendbewegte Held als empfindsamer ‹Wanderer zwischen beiden Welten›, auch der rücksichtslose Kämpfer gegen ‹viehische Bolschewistenhorden› oder der menschenverachtende Ritter in technischer Rüstung, der Heros des 20. Jahrhunderts als Freibeuter-Aristokrat in ‹Stahlgewittern›. Die UFA-Filme, teils privat genossen, teils als Gemeinschaftsempfang statt des Schulunterrichts, taten ein übriges. Wir wurden so zwar nicht Nationalsozialisten, aber doch deren williges Kanonenfutter, präpariert für den Zweiten Weltkrieg.

Für Gegenstimmen blieb kein Raum. Ich hatte zum Beispiel in der häuslichen Bibliothek Remarques ‹Im Westen nichts Neues› gefunden, das die Akzente ganz anders setzte. Ich schlug im Deutschunterricht vor, darüber zu sprechen. Aber der Lehrer umging das heikle Thema: Das lohne sich nicht. Das sei so, als habe jemand an einem Schwimmfest teilgenommen, wo vieles erfolgreich verläuft, ein paar Sportler aber beim Sprung vom Turm sich schwer verletzten. Und das allein schildere dann dieser Autor.

Diese Erklärung konnte natürlich nicht überzeugen. Aber ich habe auch nicht auf meinem Vorschlag beharrt. Denn längst waren wir alle, Lehrer wie Schüler, in den Sog der großen Erfolge des neuen Regimes hineingeraten. Uns imponierte der Machtzuwachs Deutschlands.

Besonders hinreißend war die Stimmung im März 1938. Ich stand vor dem Aushang der örtlichen Zeitung und las immer wieder die Meldung: ‹Das Großdeutsche Reich ist geschaffen. Österreich, die Ostmark, ist wieder bei Deutschland!› Ein Herr neben mir sprach mich an: ‹Ja, mein Junge, du darfst stolz sein: Wir leben in einer großen Zeit!› So empfand ich es auch. Wir lebten in einer großen Zeit, und ihr Schöpfer und Garant war Hitler.»[27]

Schulen wechseln den Kurs

Schulung der Schulmänner

Die Nazis beeilten sich, Deutschlands Schulen braun einzufärben. Besonders spürbar war der Kurswechsel in Hamburg, das vor 1933 auf eine ansehnliche Reformtradition zurückblicken konnte. Das hanseatische Schulwesen hatte demokratische Züge bekommen: Schulleiter wurden durch das Lehrerkollegium gewählt und auf Zeit bestellt, der Elternrat war an der Schulverwaltung beteiligt – alles Errungenschaften, die auch heute noch nicht in allen Bundesländern selbstverständlich sind.

Die Nazis begannen sogleich, jede Erinnerung an diese «marxistisch-liberalistische» Tradition zu tilgen. Aktivitäten, die Lehrer auf Nazi-Kurs zu trimmen, setzten Ende September ein – zunächst mit der Schulung der NSLB-Mitglieder. Auf monatlichen Pflichtveranstaltungen lernten sie, kirchliche Fragen ausschließlich aus der Sicht der «Deutschen Christen» zu sehen; das «Judentum als politisches Problem» zu verstehen; das «begriffliche Handwerkszeug der Bevölkerungs- und Rassenpolitik» zu benutzen.

Schon früh, ab Oktober 1933, setzte in Hamburg auch die weltanschauliche «Ausrichtung der jungen Erzieherschaft» in Schulungslagern ein. Als Reichsminister Rust Ostern 1935 die regelmäßige «Überholung» der Lehrerschaft in Lagern anordnete, war dafür in Hamburg bereits die Grundlage geschaffen. Ein Grund zum Stolz? Jedenfalls meinte das der NSLB in einem «Aufruf an die hamburgische Lehrerschaft» (Januar 1936): «Die hamburgische Lehrerschaft darf stolz sein auf ihre Geschlossenheit und Einsatzbereitschaft, die sie bewiesen hat, um die vom Reichsminister Rust für notwendig erklärte Lagerschulung zu ermöglichen.»

«Aktive Mitarbeit an der nationalsozialistischen Lebensgestaltung»

Der NS-Lehrerbund

Aus dem Organisationshandbuch der NSDAP:
   «Das Hauptamt für Erzieher betreut den Nationalsozialistischen Lehrerbund e. V. Der NS-Lehrerbund ist ein der NSDAP angeschlossener Verband . . .

Das Hauptamt bzw. die Ämter für Erzieher haben bei den zuständigen Behörden alle schulischen Belange der NSDAP zu vertreten.

Für amtliche Zwecke, wie Anstellung, Ernennungen und Beförderungen, hat es die politisch-weltanschauliche Beurteilung der Erzieher und Erzieherinnen aller Schulgattungen vorzunehmen.

Die Beurteilungen werden im engsten Einvernehmen mit den zuständigen Kreisleitungen der NSDAP erstellt und in Form von Gutachten den zuständigen Regierungsstellen zugeleitet.

Gleichzeitig wahrt das Amt für Erzieher in Zusammenarbeit mit den staatlichen Anstellungsbehörden die Belange der NSDAP bei Schulstellenbesetzungen, insbesondere bei der Besetzung leitender Stellen (Schulleiter, Amtsleiter, Schulratsstellen usw.) . . .

Der NS-Lehrerbund ist für die Durchführung der politisch-weltanschaulichen Ausrichtung aller Lehrer im Sinne des Nationalsozialismus verantwortlich.»

Ergebnisse einer Erhebung aus dem Jahre 1936:
«Mitglieder des NSLB: 97 Prozent der gesamten Erzieherschaft, davon 32 Prozent Parteigenossen und siebenhundert Ehrenzeichenträger.

Die Erzieherschaft stellte der Bewegung: sieben Gauleiter und stellvertretende Gauleiter, 78 Kreisleiter, 2668 Ortsgruppen- und Stützpunktleiter; 62 Prozent aller männlichen Parteigenossen im NSLB waren politische Leiter.

In den Gliederungen der Partei (SA, SS, NSKK, NSFK, NS-Marinebund) befanden sich 23 Prozent der männlichen Mitglieder und 52 Prozent der männlichen Parteigenossen, 1938 in Stellungen vom Sturmführer aufwärts.

HJ und Jungvolk: 10533 Lehrer waren verantwortlich tätig, 170 in Stellungen vom Bannführer an und 3500 in Stellungen vom Fähnleinführer an.

BDM und Jungmädchen: 7500 der weiblichen Mitglieder hatten Stellungen von der Untergauführerin bis zur Führerin einer Mädelgruppe inne.

In der NS-Frauenschaft waren 27000 Mitglieder des NSLB tätig, davon 74 als Gau- und Kreisfrauenschaftsleiterinnen und 1218 als Ortsfrauenschaftsleiterinnen.»

Gegenüber «offenen und geheimen Gegnern» des Nationalsozialismus innerhalb der Lehrerschaft wandte die Behörde robustere Mittel an. Man faßte die «Gegner» in sogenannten «Schulschutz-Abteilungen» zusammen, in denen sie durch regelmäßige Kasernenhof- und wehrsportliche Übungen vom Wert des Nationalsozialismus überzeugt werden sollten. Mit der Leitung dieser Form der Gegner-Bekämpfung wurde ein SS-Führer beauftragt. Daß diese Schulschutzabteilungen, später «Fortbildungsabteilungen» genannt, 1936 noch nicht entbehrlich geworden waren, zeigt immerhin, daß ein Teil der Hamburger Lehrerschaft sich der inneren Gleichschaltung beharrlich widersetzte.

Gefragt: Führerqualitäten

Die Schulung der Schulmeister war nur eine der Methoden, mit denen die Nazis die Lehranstalten auf das Regime einschworen. Ein anderes Mittel war die Abschaffung der demokratischen Selbstverwaltung. An die Stelle der Personalpolitik von unten trat seit 1933 das Führerprinzip: Nicht mehr die Lehrer wählten den Schulleiter, sondern die Behörde bestimmte, wer «neben der Staatsgesinnung die wissenschaftliche und schulpraktische Befähigung» hatte, «den Staatswillen an der Schule durchzuführen».

Bereits im Sommer 1933 wurden die ersten Schulleiter, die als «unbrauchbar» angesehen wurden, aus ihren Amtszimmern verbannt. Zwei Jahre später war über die Hälfte der 1932/33 amtierenden Direktoren durch neu ernannte Leiter ersetzt.

Bei der Besetzung der Schulleiterposten mit politisch zuverlässigen Lehrern spielte der NSLB eine wichtige Rolle. Systematisch trug er der Behörde Material für personelle Entscheidungen zu. Wie sich in der Personalpolitik der NSLB die Nazi-Ideologie niederschlug, zeigen die folgenden Beurteilungen vom 7. August 1937:

– «Schulleiter Hans Franck: Ohne Zweifel ein guter Schulmann, Spezialist und Organisator, erscheint F. in seiner Gesamthaltung wenig durchsichtig, um von hieraus ein konkretes ablehnendes oder befürwortendes Urteil zu fällen. – Über irgendwelchen politischen Einsatz ist hier nichts bekannt. Von seiten der Parteistellen erfreut sich F. keiner besonderen Achtung.»
– «Schulleiterin Dr. Frieda Sander: Abgesehen von der Frage der persönlichen Befähigung als Erzieherin sollte die weibliche Schulleitung *grundsätzlich abgelehnt* werden vom politischen Standpunkt aus [Hervorhebung im Original]. Der Schulleiter muß die

82

Qualitäten eines politischen Führers besitzen, wenn dem Totalitätsgedanken entsprechend die Schule als politische Zelle angesehen wird. Eine Frau, deren Stärke auf ganz anderen Gebieten liegt, kann niemals politisch führen.»

– «Schulleiter Carl Sattelberger: Es entspricht schon dem Gerechtigkeitsgefühl des ehrlich denkenden Teils der Hamburger Lehrerschaft, S. auf Grund seiner *früheren Logenzugehörigkeit* des Schulleiterpostens zu entheben, zumal er nach Aussagen des Pg. Dr. Lüth noch heute die wohltätige Arbeit der Logen ins Treffen führt» [Hervorhebung im Original].

– «Schulleiter Max Bosselmann: Aus Parteikreisen ist des öfteren darüber geklagt worden, daß B. bei der Aufnahme ungetaufter Schulanfänger deren Eltern dahin zu beeinflussen suchte, diesen Akt unbedingt nachzuholen. Abgesehen von dieser Einstellung kann von hier aus nicht eingehend geurteilt werden . . .»

Verfasser dieser Beurteilungen war der Hamburger Lehrer Willy Heher. Über ihn gutachtete das «Gau-Schulungsamt», das die Behörde bei der «Führerauslese» unterstützte:

«Warmherziger, kluger, weltoffener, erfahrener, aufrichtiger, gewandter Pädagoge; führerische Persönlichkeit. Instinktsicherer Menschenkenner, vorbildlicher Kamerad. Kritisches, klares, gerechtes Urteil. Nationalsozialistische Gesinnung einwandfrei. Zuverlässig. In Auftreten und Haltung sicher. Redegabe. In jeder Beziehung geeignet für verantwortungsvolleren pädagogischen Einsatz.»

Heher verstand es, ideologische Folgsamkeit und persönliches Interesse miteinander in Einklang zu bringen. Die Art, wie er auf einen «verantwortungsvolleren pädagogischen» Posten zu gelangen versuchte, kann als typisch angesehen werden für eine Spezies von Lehrern, die unter den Nazis Karriere machte. In einem Brief an den stellvertretenden Gauamtsleiter des NSLB und Oberschulrat für das Volksschulwesen, den «lieben Parteigenossen Mansfeld», schrieb Heher:

«Hamburg, den 2. Juli 1937

Wie seinerzeit die Besprechung zwischen Ihnen, Pg. Grundlach und mir über die Schulleiterfrage vertraulichen Charakters war, bitte ich Sie, auch diesen Brief als vertraulich anzusehen.

Als Beispiel für einen völlig ungeeigneten Leiter führte ich den Schulleiter Hinrich Demant, Volksschule Erikastraße 23, an. Mein Urteil lautete: Ein urwüchsiger, bäuerlicher Mensch und verdienter Frontsoldat des Weltkrieges, ein ungeeigneter Erzieher und ein unmöglicher Schulleiter wegen Mangels an revolutionärem Willen, an politischem Einsatz, an Organisationsfähigkeit, Autorität und Führereigenschaften ...

Seitdem geht die Schule Erikastraße 23 immer weiter zurück, da sie jeder politischen Führung entbehrt. Auch die große Gegenspielerin ist auf den Plan getreten, Christine Thies, um die sich ein Kreis von Lehrerinnen gebildet hat. Ihren geistigen Fähigkeiten und Raffinessen ist der Schulleiter in keiner Weise gewachsen, und so ging es weiter auseinander anstatt zusammen ...

Obgleich mir die aufbauende Arbeit an der Methfesselstraße stets Freude gemacht hat, denke ich seit diesen letzten zwei Jahren doch an nichts anderes als an die Rückkehr nach der Erikastraße 23. Sobald sich der jetzige Leiter Demant pensionieren läßt, werde ich mich um seinen Posten bewerben ... Ich leiste Verzicht auf die prächtige Kameradschaft in der Zusammenarbeit in meiner jetzigen Dienststelle und auf das gute Verhältnis zu der sonst politisch recht bedenklichen Elternschaft. Ich ziehe die größere Aufgabe an der Erikastraße 23 vor; denn ich kenne die Tradition dieser Schule, weiß, wo die schweren Mängel liegen (besonders im Lehrkörper) und fühle vor mir selbst die Pflicht einer Wiedergutmachung ...

Heil Hitler!
Ihr
Willy Heher»

Berufsverbot

Die «Schulleiter-Frage» war nur ein kleiner, wenn auch sehr wichtiger Sektor der Personalpolitik im Hamburger Schulwesen nach 1933. Weitaus umfangreicher waren die Maßnahmen gegen die «Unterführer», wie die Lehrer jetzt hießen. Lehrerkollegen mit sozialistischer oder demokratischer Ausrichtung wurden zerschlagen, jüdische und «marxistisch-liberalistische» Pädagogen entlassen und in den Ruhestand versetzt. So wurden zwischen 1933 und 1935 insgesamt 637 Lehrkräfte aus dem Schuldienst entfernt.

Diese Entlassungsaktion erlaubte es, zahlreiche junge Lehrer neu einzustellen, die vorher arbeitslos gewesen waren. Die meisten fühlten sich, nach Jahren beruflicher Unsicherheit und materieller Not, dem Regime zu Dank verpflichtet.

Dennoch wollten die Nazis nicht auf ständige Loyalitätsbezeigungen verzichten. Ob Junglehrer oder alter Schulhase, ob mit oder ohne belastende politische Vergangenheit: Wer nicht die Gewähr dafür bot, jederzeit für nationalsozialistische Zucht und Ordnung einzutreten, dem drohte das Berufsverbot. Dafür ein Beispiel:

«Ortsgruppe Hammer Park
An die Kreisleitung Hamburg 5
Kreisleiter Pg. Brandt   Hamburg, den 14. November 1938

Im Chapeaurougeweg 5 wohnt bei einem Frl. Seidel (Bücherstube Hammerbrook) ein Lehrer Volkhausen, dessen Verhalten und Lebenswandel zu einem immer größeren Ärgernis wird. V. hatte bis vor kurzem niemals geflaggt, einer Bitte um einen Besuch in meiner Geschäftsstelle kam er nicht nach, sondern beantwortete diese Bitte mit der schriftlichen Äußerung, wenn ich etwas von ihm wolle, könnte ich es ihm ja schriftlich mitteilen.

Der Bitte und später Aufforderung des Blockleiters kam V. nicht nach, indem er erklärte, daß er als Untermieter kein Recht habe, bei seiner Wirtin zu flaggen. Auf dringende Vorhaltungen des Blockleiters erklärte er ferner, früher sei es auch nicht Sitte gewesen zu flaggen, außerdem wüßte er gar nicht, was ihn veranlassen könnte zu flaggen (es handelte sich dabei um die Beflaggung anläßlich des *Führerbesuchs*). Schließlich bequemte man sich, ein kleines Fähnchen am Balkongitter zu befestigen, das der leiseste Wind in den Balkon hineinzuwehen pflegt.

V. war früher Schulleiter im Bullenhuserdamm zusammen mit dem im Nebenhaus (Nr. 7) wohnenden Pg. Broer, der wegen der völlig kommunistisch verseuchten Schule des V. mit seinen Knaben in ein anderes Gebäude umzog. B. kann und wird nähere Einzelheiten mitteilen.

V. ist verheiratet, Vater zweier Kinder, lebt aber von seiner Frau getrennt, da sich seine Frau nicht scheiden lassen will. Mit seiner Wirtin hat er bisher drei uneheliche Kinder.

Zur Eintopfspende gab V. Okt./März vorigen Jahres im *ganzen* RM –,20.

Gibt es kein Mittel, um solchen ‹Jugenderzieher› von dieser Tätigkeit, für die ihm bestimmt die moralischen Qualitäten fehlen, zu entfernen? . . .

Heil Hitler
Dretzky
(Ortsgruppenleiter)

V. ist *nicht* Mitglied des NSLB, daher kümmert sich auch niemand um ihn» [Hervorhebungen im Original].

85

«Schulzucht bedenklich gelockert»

HJ kontra Lehrerschaft

«Es ist selbstverständlich, daß die Autorität des Lehrers innerhalb der Schule die höchste Autorität sein muß», so Baldur von Schirach 1934. So «selbstverständlich» war das ganz und gar nicht. Kaum hatten die Nazis den Staatsapparat in Händen, begannen sie, die Autorität der Lehrerschaft zu untergraben. Im April 1933 wurde eine Generalamnestie für alle die Schüler erlassen, die aus «nationalen Beweggründen» gegen die Schulordnung verstoßen hatten:

«... bestimme ich hiermit, daß alle Schulstrafen aufzuheben sind, die seit dem 1. Januar 1925 gegen Schüler wegen solcher Handlungen verhängt worden sind, die aus nationalen Beweggründen begangen sind. Etwa verwiesene Schüler sind ohne Aufnahmeprüfung wieder in die betreffende Klasse aufzunehmen.»

Schüler war nicht mehr gleich Schüler. Wenn der Lehrer Scherereien vermeiden wollte, hatte er sich genau zu überlegen, wen er lobte, wen er tadelte:

«Mit dem Entstehen der nationalsozialistischen Jugendorganisation ist heute für jede Schule der Fall eingetreten, daß in der einen oder anderen Klasse auch Führer des JV und der HJ wie auch des BDM unter den Schülern bzw. Schülerinnen sitzen. Der Lehrer bedarf eines nicht geringen Maßes an Taktgefühl, um ihnen gegenüber den richtigen Ton zu treffen. Natürlich sind sie Schüler wie alle anderen auch. Aber immerhin ist es etwas anderes, ob man einen Schüler tadelt, der außerhalb des Unterrichts eine Gefolgschaft führt, oder einen solchen, der eben nichts anderes als Schüler ist. Hier wird der Lehrer stets bestrebt sein müssen, die Autorität des HJ-Führers vor seinen Kameraden nicht unnötig herabzusetzen ... Wenn dann tatsächlich in der Erregung des Augenblicks ein Wort gegen die HJ fällt, ist das Vertrauen zwischen Schülerschaft und Lehrerschaft zerstört und nicht so leicht wiederherzustellen.»

Obwohl offiziell nur außerhalb der Schule «höchste Autorität», schickten sich HJ-Führer zur «Machtergreifung» auch in den Schulen an. In den ersten beiden Jahren der Nazi-Herrschaft häuften sich Disziplinschwierigkeiten; Lehrer wurden verhöhnt; Hitler-Jungen schwangen sich zu politischen Kontrolleuren des Unterrichts auf. Auch in späteren Jahren hörten die Reibereien mit der HJ nicht auf. Ein Bericht des Kreisjugendwalters Traunstein (Gau München-Oberbayern), 1935 geschrieben, deutet dies an:

«... an den einzelnen Schulen herrschen jetzt zum größten Teil zwischen HJ und Lehrerschaft gute Beziehungen und geordnete Verhältnisse. Die früher vorhandenen Spannungen sind zum größten Teil verschwunden, wenn auch mir vor nicht langer Zeit ein (HJ-) Unterbannführer, selbst Lehrer, versicherte, daß noch immer Lehrkräfte aller Schulgattungen, manchmal sogar auch jüngere und manche weibliche, nicht die richtigen inneren Beziehungen zur HJ und ihren Führern gefunden hätten und noch innerliche Widerstände und Hemmungen vorhanden wären.»[28]

1937 führte der NS-Lehrerbund, Gau Mainfranken, bewegte Klage:

«Die merkwürdige Einstellung großer Teile unserer Jugend zur Schule überhaupt und insbesondere zur geistigen Leistung an den höheren Lehranstalten gibt immer wieder Anlaß zu berechtigten Klagen und zur Besorgnis für die Zukunft. Es fehlt vielfach jeder Arbeitseifer und jedes Pflichtgefühl. Viele Schüler glauben, das Reifezeugnis in acht Jahren auch bei großen geistigen Minderleistungen einfach ersitzen zu können. In den HJ- und DJ-Einheiten wird die Schule in keiner Weise unterstützt, im Gegenteil, gerade diejenigen Schüler, die dort sogar in führenden Stellungen tätig sind, zeichnen sich in der Schule öfters durch ungebührliches Benehmen und durch Nachlässigkeit aus. Überhaupt muß allgemein festgestellt werden, daß die Schulzucht bedenklich gelockert erscheint.»[29]

Wie Schüler es anstellten, sich vor Hausaufgaben zu drücken, erzählt Erich Dressler:

«Das Paulsen-Realgymnaisum war ein ganz altmodischer Kasten. Für Führerparolen wie ‹Die Schulung des Charakters ist wichtiger als die Schulung des Geistes› hatten die Lehrer kein Verständnis. Sie löcherten uns mit Latein und Griechisch, anstatt uns Sachen beizubringen, die wir später gebrauchen konnten. Wir waren entschlossen, uns nicht von ihren überholten Ansichten beeinflussen zu lassen und sagten ihnen das ins Gesicht. Sie sagten zwar nichts dazu, denn sie hatten, glaube ich, ein bißchen Angst vor uns, aber sie änderten auch nicht ihre Lehrmethoden. So waren wir gezwungen, uns zu wehren.

Das war ziemlich einfach. Gab uns unser Lateinlehrer einen endlosen Abschnitt aus Cäsar auf, so übersetzten wir einfach nicht und entschuldigten uns damit, daß wir am Nachmittag Dienst in der Hitler-Jugend gehabt hätten.

Einmal nahm einer von den alten Knackern allen Mut zusammen und protestierte dagegen. Das wurde sofort dem Gruppenführer gemeldet, der zum Rektor ging und dafür sorgte, daß dieser Lehrer entlassen wurde. Der Gruppenführer war erst sechzehn, aber als

Hitler-Jugendführer konnte er nicht dulden, daß wir an der Ausübung unseres Dienstes, der viel wichtiger als unsere Schulaufgaben war, gehindert wurden. Von dem Tag an war die Frage der Hausaufgaben geklärt. Hatten wir keine Lust dazu, dann waren wir eben ‹im Dienst› gewesen, und kein Mensch wagte, irgend etwas dagegen zu sagen.»[30]

«Wieviel Bomben sind zur Vernichtung erforderlich?»

Mathematik und Naturwissenschaften im Dienst der Partei

Den Nazis genügte es nicht, der deutschen Jugend in den Organisationen der Partei ihre politischen Lehren einzuimpfen, sie zu blinden Anhängern des Regimes zu machen und auf den Krieg vorzubereiten: Auch die Schule wurde ohne Zögern nach 1933 entsprechend ausgerichtet. Die ideologische Befrachtung der Lehrpläne beschränkte sich dabei keineswegs auf traditionell rechtslastige Fächer wie Deutsch und Geschichte, gerade Mathematik und die Naturwissenschaften wurden ganz und gar in den Dienst der Partei gestellt. Einen Einblick, wie das konkret gemacht wurde, gibt eine Zusammenstellung einiger typischer Rechenaufgaben aus dem ‹Handbuch für Lehrer›. Mathematik im Dienste der nationalpolitischen Erziehung aus dem Jahre 1935:

«Aufgabe 44: Wieviel Kinder muß eine Familie haben, damit der zahlenmäßige Bestand des Volkes gesichert ist?

Aufgabe 58: Bei den Reichsautobahnen waren im Oktober 1934 auf 50 Baustellen rund 7000 Mann beschäftigt. a) Wieviel sind dies je Baustelle? Man rechnet noch mit einer Steigerung dieser Beschäftigtenzahl um etwa die Hälfte; b) Wie hoch wird sie dann sein? Mittelbar erhalten durch Materiallieferungen für die Autobahnen noch eineinhalbmal soviel Volksgenossen, als unmittelbar eingesetzt sind, Arbeit und Brot.

Aufgabe 68: Nach dem Durchschnitt der letzten Jahre hatten in Deutschland die Großstädte nur 58 Prozent, die Mittelstädte 69 Prozent, die Landgemeinden dagegen 113 Prozent der Geburtenzahl aufzuweisen, die zur Bestandserhaltung notwendig ist. Von allen Einwohnern Deutschlands kamen auf die Großstädte 30,4 Prozent, die Mittelstädte 36,6 Prozent, das Land 33 Prozent.

a) Stelle dies bildlich in drei Rechtecken dar, deren Höhen der Normalgeburtenzahl entsprechend zunächst gleich gemacht werden (100 Prozent), und deren Breiten den Einwohneranteilen der verschiedenen Ortsklassen entsprechend gewählt werden. Von jedem Rechteck ist sodann durch eine Parallele zur Grundlinie soviel abzugrenzen, wie der tatsächlichen Geburtenzahl entspricht.

b) Berechne das gewogene Mittel der Geburtenhundertsätze (rund 80 Prozent) und ziehe durch alle Rechtecke die diesem entsprechende Parallele zur Grundlinie. Dann liegt oberhalb derselben bei ‹Land› ebensoviel Fläche wie unterhalb bei den beiden Städtegruppen zusammen.

Aufgabe 88: Der Profilwinkel α, der für die Schädelforschung ebenfalls von Wichtigkeit ist, wird von der «deutschen Horizontale» (Ohr-Augen-Ebene) und der Profillinie (Nasenwurzel-Oberkieferrand) gebildet. Man nennt einen Schädel vor- oder mittel- oder geradkiefrig, je nachdem α 80° oder 80° $\leq \alpha$ 85° oder 85° $\leq \alpha$ ist. – Bestimme hiernach den Profilwinkel verschiedener Schädel.

Aufgabe 89: Wieviel Personen gehören in die «Ahnentafel» eines Menschen, falls sie von der nullten bis zur n'ten Reihe fortgesetzt wird?

Aufgabe 95: Der Bau einer Irrenanstalt erfordert 6 Millionen RM. Wie viele Siedlungen zu je 15 000 RM hätte man dafür bauen können?

Aufgabe 97: Ein Geisteskranker kostet täglich etwa 4 RM, ein Krüppel 5,50 RM, ein Verbrecher 3,50 RM. In vielen Fällen hat ein Beamter täglich nur etwa 4 RM, ein Angestellter kaum 3,50 RM, ein ungelernter Arbeiter noch keine 2 RM auf den Kopf der Familie. a) Stelle diese Zahlen bildlich dar. – Nach vorsichtigen Schätzungen sind in Deutschland 300 000 Geisteskranke, Epileptiker usw. in Anstaltspflege; b) Was kosten diese jährlich insgesamt bei einem Satz von 4 RM?; c) Wieviel Ehestandsdarlehen zu je 1000 RM könnten – unter Verzicht auf spätere Rückzahlung – von diesem Geld jährlich ausgegeben werden.

Aufgabe 109 b) Zeichne in einen gegebenen Kreis mit 8 cm Durchmesser ein Hakenkreuz (HJ-Abzeichen), dessen Balken ebenso wie die weißen Zwischenräume je 1 cm breit sind.

Aufgabe 115: Zu 11 Millionen kunstseidenen Astern, die das Winterhilfswerk 1934/35 in Auftrag gab, wurden 100 000 Quadratmeter Krepp und 8000 Quadratmeter Samt benötigt. Wieviel Quadratmeter von jeder Sorte kommt auf eine Aster?»

Unter der Überschrift «Wie die andern rüsten» enthält ein anderes NS-«Rechenbuch» Daten über Rüstungsaufgaben europäischer Staaten, über ihre Einwohnerzahlen sowie die Friedens- und Kriegs-

Fremdkörper in der Volksgemeinschaft

Jahr	Bevölkerung des Deutschen Reiches* in 1000	Juden (in 1000)					
		im Reiche	Prozent	in den Großstädten über 100 000 Einw.	Prozent aller Juden des Reiches	in Berlin	Prozent aller Juden des Reiches
1871	36 323	383	1,05	75	19,5	36,5	9,6
1880	40 218	437		124		55,1	
1890	44 230	465		184		82,6	
1900	50 626	497		238		109,4	
1910	58 451	539		314		144,0	
1925	63 181	568		379		172,7	
1933	66 044	504		356		160,6	

* Gebietsstand von 1935 einschließlich Saargebiet.

a) Ergänze!

b) Im April 1933 waren unter den 66 820 Schülern höherer Lehranstalten in Berlin 7748 Juden; wieviel Prozent?

Wieviel höhere Schüler würde es in Berlin gegeben haben, wenn die arischen Eltern ihre Kinder in dem gleichen Umfang wie die Juden zur höheren Schule geschickt hätten? (Berlin hatte 4 242 500 Einwohner)

stärken von Armeen der Deutschland benachbarten Länder samt der Zahl der jeweils vorhandenen Flugzeuge. Daraus leiten die Buchherausgeber die bangemacherische Behauptung ab, «Luftangriffe drohen ringsum», und lassen einige Fragen folgen:

«a) Wieviel Kriegsflugzeuge haben die angegebenen Staaten, soweit sie Nachbarn Deutschlands sind, insgesamt?

b) Die Stadt Essen ist von der französischen Grenze . . . Kilometer, von der belgischen Grenze . . . Kilometer entfernt (Atlas!). Wieviel Minuten braucht ein Flugzeug für diese Strecke bei 250 Kilometer Stundengeschwindigkeit?

Auf dem Meßtischblatt 1 : 25 000 bildet die Innenstadt von Essen einschließlich der Kruppschen Fabrik ein Rechteck von 10 · 6,5 Zentimeter. Wieviel Quadratkilometer umfaßt das Rechteck (auf Ganze genau)? Wieviel Bomben von je 1000 Kilogramm wären zur Vernichtung dieses Gebiets erforderlich, wenn eine solche Bombe alle Gebäude im Umkreis von 50 Meter zum Einsturz bringt? . . . Wieviel Staffeln zu je zehn Flugzeugen müßten eingesetzt werden, wenn jedes Flugzeug zwei solcher Bomben mitführen könnte?

c) Ein moderner Nachtbomber kann 1800 Brandbomben tragen. Auf wieviel Kilometer Streckenlänge kann er diese Bomben verteilen, wenn er bei einer Stundengeschwindigkeit von 250 Kilometer in jeder Sekunde eine Bombe wirft?

Wieviel Meter sind die Einschläge voneinander entfernt . . .?

Wieviel Quadratkilometer können zehn derartige Flugzeuge in Brand setzen, wenn sie in seitlichen Abständen von fünfzig Metern fliegen?

Wieviel Brände entstehen dabei, wenn ein Drittel der Abwürfe Treffer sind und dann wieder ein Drittel zünden?»

«Warum erbkranker Nachwuchs verhütet werden muß.

a) Erbminderwertige Familien haben erfahrungsgemäß eine höhere Kinderzahl als erbgesunde. – Nehmen wir an, es gäbe in einem Land gleich viel erbgesunde (A) und erbminderwertige (B) Ehepaare, von denen die Gruppe A durchschnittlich je drei, die Gruppe B durchschnittlich je fünf zur Heirat gelangende Kinder hätte. Die A-Kinder würden wiederum durchschnittlich je drei, die B-Kinder je fünf Nachkommen haben. In welchem Verhältnis würden die Nachkommen der beiden Gruppen nach hundert Jahren (= drei Geschlechterfolgen), nach zweihundert Jahren stehen?»[31]

Schon Jahre vor dem Wehrdienst wurden deutsche Schüler im Physikunterricht mit dem vertraut gemacht, was sie im kommenden Krieg nach Meinung der Nazi-Bildungsplaner «gut gebrauchen» konnten. Auf dem Stundenplan stand «Wehrgeistige Erziehung». Leseprobe:

«Das Wichtigste aber, was die Wehrmacht von der Schule erwartet, ist, daß sie zum klaren konzentrierten Denken erzieht. Der Soldat und namentlich der Unterführer muß sich tagtäglich schnell in neuen Situationen zurechtfinden, muß Feind, Gelände und eigene Lage richtig beurteilen. Er muß diese Denktätigkeit unter schwierigsten Verhältnissen unter der Wirkung der feindlichen Artillerie leisten. Das setzt voraus, daß er im logischen Denken geübt ist.»

Wie die Schulungswünsche der Wehrmacht im Detail aussahen, zeigen die folgenden Empfehlungen aus dem Jahre 1940:

«Die *Flugbahn* ist in einfacher Weise zu besprechen. Ihre hauptsächlichsten Begriffe sind zu klären und festzuhalten: Mündungswaagerechte, Zielwaagerechte, Abgangswinkel, aufsteigender Ast, Gipfelpunkt und Gipfelhöhe, absteigender Ast, Fallwinkel und Auftreffwinkel, Aufschlagpunkt.» Das sind einige Themen für den Mathematikunterricht. Für den Physikunterricht wird vorgeschlagen: «Das Wesen und die Wirkungsweise der hauptsächlichen optischen Beobachtungsmittel . . . sind zu behandeln. Die zum Verständnis der *Fernsprech- und Funktechnik* notwendigen physikalischen Grundlagen sind eingehender zu behandeln . . . Die Schüler müssen über die

Grundschaltung eines Fernsprechers, eines Senders, eines Empfängers sowie über die Wirkungsweise eines Umformers im Bilde sein. Praktisch ist der Aufbau eines Senders und eines Empfängers zu üben. Jeder Schüler, der die Schule durchlaufen hat, muß fähig sein, einen Fernsprecher in Betrieb zu setzen und Fehler zu beseitigen, soweit sie äußerlich erkennbar sind. Auf die Hauptgesichtspunkte beim Leitungsbau ist dabei Bezug zu nehmen. Der *Motorenkunde* ist verstärkte Aufmerksamkeit zu schenken.

Im Hinblick auf die *Einflüsse der Witterung auf die Geschoßbahn* bedürfen ... Begriffe besonderer Klärung ... Der *Kompaß* ist gründlich zu behandeln und sein Gebrauch weitgehend zu üben ...

Die Grundlagen des *Lichtbildwesens* sind gründlich zu behandeln ... In großen Zügen ist auf die *Munition* der Artillerie und Infanterie einzugehen. Treibladung und Sprengladung. Funktionsweise der Zünder ...»

Besondere Aufmerksamkeit schenkten die Lehrplanautoren dem Fach Biologie, ließ sich hier doch, so glaubte man wenigstens, die Minderwertigkeit der Juden überzeugend nachweisen. Was da im einzelnen verbreitet wurde, belegen einige Auszüge aus Aufsätzen, die im Fach «Rassenkunde» an der Hamburger Meisterschule für Mode im Kriegsjahr 1944 geschrieben wurden:

«25. April 1944
Wir bezeichnen die nordische Rasse als die wertvollste der uns artverwandten Rassen ... Durch die edle Schönheit des nordischen Menschen hebt sich die Rasse unter den anderen noch sehr hervor. Deshalb ist man darauf bedacht, gerade diese Rasse möglichst rein zu erhalten ... In Deutschland begegnet man dieser Gefahr des Herabsinkens der nordischen Rasse durch die Aufnordung, die man anfängt auszuführen, indem man Gesetze herausgegeben hat, wonach es verboten ist, daß sich reinrassige Menschen mit fremdrassigen mischen. Danach darf ein Arier keinen Juden heiraten oder einen Menschen, der einer artfremden Rasse angehört. Dieses wird in Deutschland durch die Nürnberger Gesetze verhindert.»

«2. Mai 1944
Wenn wir uns mit der Aufnordung befassen, denken wir nicht nur daran, den nordischen Menschen in seinem Äußeren, was Schönheit anbetrifft, zu erhalten, sondern es ist gerade auch hier besonders auf die geistigen Fähig- und Tätigkeiten zu achten. Der heldische, kämpferische Einsatz zeichnet den nordischen Menschen besonders aus. Während oft Menschen anderer Rassen das Leben als das Höchste ansehen, ist der nordische Mensch eher bereit zu sterben, als seine

Ehre zu verlieren. Seine Natur ist bestimmt durch vorherrschendes Führertum, und der nordische Mensch ist frei und stolz. Die Arbeit bedeutet für ihn etwas Selbstverständliches, ohne die er sich sein Leben nicht denken kann. Er ist stets darauf bedacht, seine Leistungen zu erhöhen. Die Freiheit besteht nicht nur darin, selbständig zu sein und unabhängig von anderen Menschen tun und lassen können, was man will, sondern wer das Höhere anerkennt und sich freiwillig diesem unterordnet und die vorgeschriebenen Pflichten nicht als Zwang ansieht, wenn er in der Gefolgschaft steht, ist ein freier Mensch. Nur aus solchen Menschen, die sich unterordnen und der Führung gehorchen, können selbst einmal Führende werden. Denn wer befehlen will, muß zuvor gehorchen gelernt haben. Es ist im Sinne der Aufnordung, daß man die Menschen so heranziehen will. Der nordische Blutsanteil in Deutschland beträgt ungefähr 50 Prozent. Es ist nicht unbedingt so, daß ein Mensch, der keine blonden Haare hat und überhaupt nicht dem nordischen Charakter entspricht, deshalb nicht nordisches Blut haben kann. Durch die Aufnordung will man in Deutschland auch den Menschen, die nicht der nordischen Rasse direkt angehören oder schon vermischt sind, den nordischen Geist verleihen. Eine richtig ausgesprochen nordische Haltung finden wir bei unseren Soldaten vor . . .

«12. Juni 1944
. . . 1935 wurde das Reichsbürgergesetz erlassen. Die staatsbürgerlichen Rechte stehen nur Staatsgenossen zu, die deutschen Blutes sind. Weiter wurde ein Gesetz herausgegeben zum Schutze des deutschen Blutes und der deutschen Ehre. Ehe man einem Staatsgenossen die Reichsbürgerrechte gab, wurde er gefragt, ob er sich für den Staat rückhaltlos einsetzen und ihm dienen wolle. Sagte der Staatsgenosse ja, war er Reichsbürger im Vollbesitz der politischen Rechte . . .

Entzogen wurden die Rechte der Reichsbürger nur den Kommunisten und den staatsfeindlichen Elementen, vor allem aber den Juden. Diese sind nicht alle gleich zu werten und zu behandeln. Danach, wieviel jüdische Großeltern der einzelne hat, rechnet man und wertet sie danach ein. Wer vier jüdische Großeltern hat, ist Volljude. Volljude ist aber auch der, der drei jüdische Großeltern hat. Wer zwei jüdische Großeltern hat, ist Mischling ersten Grades. Dieser ist nicht immer wehrwürdig, kann aber als wehrwürdig erklärt werden. Mischling zweiten Grades ist, wer nur einen jüdischen Großelternteil hat. Dieser ist als wehrwürdig zu betrachten und ist auch vom Staat wehrwürdig erklärt worden . . .

In dem Gesetz wird nur streng betont, daß eine Eheschließung wie eine uneheliche Verbindung Deutscher mit Volljuden streng untersagt ist. Die Folge für die Kinder, welche Eltern besitzen, die das Verbot umgangen haben und welche Kinder arisch und jüdisch sind, folglich eigentlich Mischlinge also, ist eine schwere und sie gelten als Volljuden. Ihr Schicksal ist ein tragisches und ein Elend. Sie sind nach außen schlecht gestellt, und sie leben in einer inneren Zerrissenheit. Dieses sollte jeder wissen und sich davor hüten, Nachkommen zu haben, die von Juden gezeugt wurden.»

Wie absurd die Rassenlehren der Nazis waren, verdeutlicht die folgende Episode aus dem Biologieunterricht Mitte der dreißiger Jahre in Frankfurt, über den der Jude Valentin Senger berichtet. Kurz zuvor hatte seine Mutter einen «arischen» Stammbaum der Familie erfunden.

«Unser Biologielehrer bestaunte den Sengerschen Stammbaum, in dem sich die ganze Sippe väterlicher- und mütterlicherseits zwischen Don und Wolga aufhielt, in dem Gebiet, wo die Wolgadeutschen wohnen, natürlich mit Ausnahme unserer Familie, die es nach Frankfurt verschlagen hatte.

Auf seine Frage, was denn eigentlich meine Eltern veranlaßt habe, die Geborgenheit der wolgadeutschen Heimat aufzugeben und sich in Frankfurt niederzulassen, war ich von Mama nicht vorbereitet und konnte ihm darum auch keine vernünftige Antwort geben. Das machte aber nichts. Jedenfalls imponierte ihm der Stammbaum, und er studierte ihn sehr genau.

Als er einige Wochen später mit uns die verschiedenen arischen Rassen besprach, nahm er auch an einigen Schülern Schädelmessungen vor. Dazu benutzte er ein seltsames Instrument, das wie ein großer, an den Enden stark gekrümmter Zirkel aussah, mit einem verstellbaren Zapfen in der Mitte. Außerdem hatte Bio-Vollrath noch einige Schautafeln und Tabellen mitgebracht.

Mich holte er als ersten vor die Klasse. An mir wollte er seine Fähigkeit in der Schädelbestimmung demonstrieren. Er drückte seinen krummen Zirkel an meinen Kopf, mal von vorn nach hinten, mal von links nach rechts, stellte jedesmal den senkrechten Stift nach, schrieb Zahlen auf, und die Klasse folgte aufmerksam dem ungewöhnlichen Tun. Hierauf begann er zu rechnen und in den Tabellen nachzuschlagen, die er, eine nach der anderen, vom Katheder hochnahm und dicht an seine dicken Brillengläser hielt. Schließlich drehte er sich zur Klasse und verkündete triumphierend: «Senger – dinarischer Typ mit ostischem Einschlag, eine kerngesunde arische Rasse.» Bio-Vollrath war mit sich und dem Ergebnis seiner ersten Schädelmessung vollauf zufrieden. Kein Wunder, er hatte Mamas Stammbaum gut studiert.»[32]

Heute Zögling, morgen Führer

Wie die Nazis ihren Nachwuchs schulten

«Körperlich hart, charakterlich fest und geistig elastisch», so wünschte sich Adolf Hitler die deutschen Jungen für die «Nationalpolitischen Erziehungsanstalten» (Napola) – Ausleseschulen, die dem «Dritten Reich» eine stramme Führungselite für den Staat sichern sollten. «Glauben, Gehorchen, Kämpfen» lautete das Motto der Napola-Erziehung. Der Lehrplan ähnelte dem der herkömmlichen Oberschulen, im Gegensatz zu den Inhalten, die in den «Adolf-Hitler-Schulen» (AHS) vermittelt wurden. Sie waren in Konkurrenz zu den «Napolas» des Erziehungsministeriums eine Gründung der NSDAP und der HJ. In den «AHS» kam es nicht so sehr auf intellektuelle Weiterbildung an, hier erhielt durch politische Schulung der Parteinachwuchs seinen Schliff. An den «AHS» gab es keine Zeugnisse, die Schüler bekamen nur eine Beurteilung für die Parteiakten. Hitler ordnete aber an, daß das Abschlußdiplom «seiner Schulen» dem Abitur gleichgesetzt wurde.

Zuvor besonders ausgelesene Jungnazis wurden in sogenannten «Ordensburgen» darauf vorbereitet, auch höchste Ämter zu übernehmen. Körpertraining, Drill und die Einübung der Nazi-Ideologie hatten auch hier Vorrang vor qualifizierter fachspezifischer Ausbildung. Der «Aufstieg» der Absolventen von «Ordensburgen» sah meist so aus, daß sie während des Krieges in den besetzten Ostgebieten eingesetzt wurden. Wegen ihrer relativ kurzen Entwicklungszeit gab es kaum konkretere Auswirkungen der nationalsozialistischen Elitebildung.

Wie der Weg in eine «Adolf-Hitler-Schule» aussah, berichtet Peter R. aus Hamburg, Jahrgang 1932[33]:

Im Winter 1943/44 war ich mit meiner ersten Oberschulklasse in der Kinderlandverschickung in Gößweinstein in der Fränkischen Schweiz. Wir sollten an einem Skikurs teilnehmen, aber einige von uns wurden statt dessen zu einem Jungvolk-«Führerlehrgang» ausgewählt. Ich gehörte dazu. Eine Gruppe von etwa vierzig Elf- bis Zwölfjährigen traf sich auf Burg Donauwörth. Unsere Hauptbeschäftigung war Sport, und zwar ein ganz harter Drill. Es gab lange Geländemärsche durch hohen Schnee, doch was mich besonders wurmte, waren die sogenannten «Maskeraden». Wir mußten in einer Minute in Ausgehuniform, also voller Montur, antreten und strammstehen, in der nächsten Minute in Turnhose usw.

Gab es auch vormilitärische Ausbildung?
Ja, wir mußten mit einem Kleinkalibergewehr schießen.

Wie sah es mit dem Unterricht aus?
Der war sehr dürftig, jeweils eine Stunde Deutsch, eine Stunde Geschichte pro Tag, viel mehr war da nicht. Dafür haben wir viele Lieder gelernt, diese richtigen Nazi-Lieder, zum Beispiel «Hoch an Bord des Bernsteinmeeres steht der junge König im Morgenwind, sieht den Zug des Gotenheeres, Männer, die zum Kampfe geboren sind . . .» Zum Schluß des Lehrgangs wurden die Tüchtigsten zu Hordenführern ernannt und bekamen ihren Winkel für die Uniform. Ich gehörte dazu. Als wir angetreten waren, teilte man uns mit, wir hätten damit die Vorausleseprüfung für die Adolf-Hitler-Schule bestanden. Daß es darum ging, hatten wir zuvor nicht geahnt, meine Eltern wußten nichts davon.

Haben Sie sich gefreut?
Ja, sicherlich, ich empfand es damals als eine Auszeichnung.

Hatten Sie denn eine Vorstellung, was eine Adolf-Hitler-Schule war?
Ich hatte nur einen sehr unbestimmten Begriff davon, auf jeden Fall war es für mich eine Elite, die da hinkam.

Noch waren Sie nicht da, wie ging es weiter?
Im April 1944 fand in Trittau die Endauslese für alle diejenigen statt, die aus Hamburg die Vorauswahl bestanden hatten. Wir waren wieder etwa vierzig Jungen, und erneut wurden wir vor allem sportlich getrimmt. Ich entsinne mich vor allem an das Boxen. Ich war ein kleiner schmächtiger Junge und hatte nun wahrhaftig keine Kraft. Weil ich aber gegen einen der stärksten Jungen antrat und nicht umkippte, bekam ich vom Gebietsführer eine Auszeichnung für besonderen Mut. Daneben mußten wir ein paar Diktate und Aufsätze schreiben. An eine ideologische Schulung kann ich mich nicht erinnern. Am Schluß des Lehrgangs wurde uns eine Beurteilung vorgelesen, in der hauptsächlich von Kameradschaft, Einsatzfreude und Ehrgefühl die Rede war.

Sie hatten damit die Endauslese für die Adolf-Hitler-Schule bestanden.
Ja, mit elf anderen Jungen aus Hamburg. Sämtliche Adolf-Hitler-Schüler meines Jahrgangs wurden im Herbst 1944, inzwischen war ich zwölf Jahre alt, in einem Lager in Königsdorf bei Bad Tölz zusammengezogen. Hier sollten wir uns in einem sechswöchigen Kursus kennenlernen. Es gab da, wie man uns sagte, bereits den normalen Unterricht der AHS, den dreißig- bis vierzigjährige HJ-Führer gaben, die von Beruf Studienräte waren.

Was wurde unterrichtet?
Zunächst war die sportliche Betätigung auch hier ein ganz wichtiger Punkt. Nur war sie wesentlich härter als zuvor. Es gab zum Beispiel Mutproben. Man mußte aus drei, vier Meter hohen Bäumen auf harten Rasen springen und zwei, drei Kilometer durchs Gelände laufen, die zehn letzten noch einmal. Was ich damals als ganz betrüblich empfand: Es gab keine Solidarität unter den Laufenden. Als ich mit letzter Kraft als zwölfter das Ziel erreicht hatte, brach ich zusammen.

Ein Erlebnis hat mich noch stärker deprimiert. Ich war der einzige im Lager, der nicht schwimmen konnte. Jedoch glaubte man mir das nicht. Wir schwammen damals in der Isar. Da haben mich zwei gepackt und reingeworfen. Ich bin natürlich abgeglukkert. Sie haben mich rausgeholt und gesagt: «Ein Adolf-Hitler-Schüler kann schwimmen», also noch mal rein. Ich bin wieder abgeblubbert, und als ich beim drittenmal immer noch unterging, haben sie mir endlich geglaubt, daß ich nicht schwimmen konnte. Einen Stafettenlauf durch die Isar mußte ich aber trotzdem mitmachen.

Haben Sie dies Erlebnis mit einem Ihrer Mitschüler besprochen?
Damit konnte man zu niemandem kommen. Ich habe es aber meinem Vater geschrieben, der damals Soldat in Italien war. Da unsere Post zensiert wurde, hat er mir verschlüsselt mitgeteilt: «Junge, geh da weg.»

Unterschied sich der Unterricht in der AHS von dem an normalen Schulen?
Das tat er insofern, als der sogenannte «Weltanschauliche Unterricht» eine entscheidende Rolle spielte. Hauptthema in Königsdorf war das Programm der NSDAP. Es wurde ausführlich behandelt und mit den Zielen anderer Parteien der Weimarer Republik verglichen. Bisher gab es für mich nur *die* Partei, in die man mit achtzehn eintrat. Jetzt lernte ich den Begriff Partei in ganz neuer Sicht kennen, als eine Möglichkeit von mehreren. Obwohl ich erst zwölf Jahre alt war, hatte ich das Gefühl, daß mir einige Forderungen der SPD mehr lagen als die der NSDAP.

Was hat Sie bewogen, aus der AHS zu fliehen?
Zu meinem Widerwillen gegen den Drill, dem ich körperlich einfach nicht gewachsen war, und zu dem Rat meines Vaters war jetzt noch die weltanschauliche Schulung gekommen. Alles außerhalb der NS-Ideologie wurde negativ kommentiert, obwohl die Texte zum Beispiel der SPD, die man uns in Auszügen vorlegte, für mich gar nicht schlecht klangen. Als dann eine Gruppe von Adolf-Hitler-Schülern Dresden besuchte, bin ich von dort in voller Uniform zu meiner Mutter ins Sudetenland abgehauen, wohin sie inzwischen evakuiert war. Ich war froh, die Adolf-Hitler-Schule hinter mir zu haben. Man hat mich zwar gesucht, aber zum Glück nicht gefunden.

Das «germanische Empfinden» verletzt

Jüdische Schüler werden verdrängt

Am 14. April 1934 – ein Jahr bevor durch die sogenannten «Nürnberger Gesetze» alle Juden in Deutschland unter Ausnahmerecht gestellt wurden – schrieb der Vater einer jüdischen Schülerin der Helene-Lange-(Mädchen-)Oberrealschule in Hamburg-Eimsbüttel einen Brief an die Landesunterrichtsbehörde:

«Meine Tochter Friedel besucht die Unterprima der Helene-Lange-Oberrealschule. Außer ihr gehört noch eine weitere jüdische Schülerin, die aber in diesen Tagen zufällig fehlt, dieser Klasse an.

Am 12. April dieses Jahres ließ Frau Studienrat Ahlborn in der deutschen Stunde aus Hitlers ‹Mein Kampf› aus dem zweiten Kapitel die Darstellung der Judenfrage verlesen (in der in meinem Besitz befindlichen 7. Auflage auf Seite 54 mit den Worten beginnend: ‹Es ist für mich heute schwer, wenn nicht unmöglich zu sagen, wann mir zum erstenmal das Wort „Jude‘ Anlaß zu besonderen Gedanken gab›).

Inmitten des Kapitels wurde die Vorlesung durch den Schluß der Stunde unterbrochen und die Fortsetzung auf den nächsten Tag verschoben. Bemerkungen zu dem Verlesenen machte Frau Ahlborn im wesentlichen nicht. Das Verlesene enthielt Stellen, welche eine ehrliebende jüdische Schülerin nicht hinnehmen kann, insbesondere die Stelle: ‹. . . abgestoßen müßte man aber werden, wenn man über die körperliche Unsauberkeit hinaus plötzlich die moralischen Schmutzflecken des auserwählten Volkes entdeckte. Nichts hatte mich in kurzer Zeit so nachdenklich gestimmt als die langsam aufsteigende Einsicht in die Art der Bestätigung der Juden auf gewissen Gebieten. Gab es denn da einen Unrat, eine Schamlosigkeit in irgendeiner Form, vor allem des kulturellen Lebens, an der nicht wenigstens ein Jude beteiligt gewesen wäre? Sowie man nur vorsichtig in eine solche Geschwulst hineinschnitt, fand man, wie die Made im faulenden Leibe oft ganz geblendet vom plötzlichen Lichte, ein Jüdlein.›

Meine Tochter kam sehr erregt nach Hause. Ich habe noch am selben Tag mit Frau Studienrat Ahlborn und am nächsten Tag mit Herrn Schulleiter Grüber über die Angelegenheit Rücksprache genommen. Frau Ahlborn sagte mir, sie sei vom Herrn Schulleiter beauftragt, dieses Kapitel lesen zu lassen. Sie sei sich der schwierigen Situation der jüdischen Schülerinnen bewußt. Es sei aber ihre Aufgabe, durch Erörterung der Judenfrage der nationalsozialistischen Erziehung der Schülerinnen zu dienen. Welche Erörterungen sie am Ende der Verlesung geben würde, habe sie sich noch nicht ganz überlegt.

Herr Schulleiter Grüber sagte mir, er habe die Verlesung angeordnet. Er habe gerade eine derartige Behandlung der Judenfrage im Unterricht für erforderlich gehalten, um die Klassen gegen die Gefahr einer geistigen Beeinflussung durch die jüdischen Mitschülerinnen zu schützen.

Mit dem Herrn Schulleiter und Frau Studienrat Ahlborn habe ich vereinbart, daß Friedel an den Schulstunden, in denen die Judenfrage behandelt wird, nicht teilnehmen wird.

Ich gestatte mir nunmehr, die Landesunterrichtsbehörde um Beantwortung folgender Fragen zu bitten: Liegt es im Sinne der Landesunterrichtsbehörde, daß den zugelassenen jüdischen Schülerinnen durch eine ihr Ehrgefühl verletzende Behandlung der Judenfrage im Unterricht das Verbleiben in den Staatsschulen unmöglich gemacht wird?

Ist es nicht die Auffassung der nationalsozialistischen Behörde, daß wohl von Andersartigkeit, nicht aber von genereller Minderwertigkeit der Juden gesprochen werden darf und daß, wenn die Judenfrage behandelt wird, vorher sorgsam überlegt werden muß, welche Erläuterungen zu geben sind?

Besteht die Absicht, aus Hitlers ‹Mein Kampf› auch noch weitere Kapitel über die Judenfrage in den Schulstunden lesen zu lassen?»

Die Behörde nahm die Sache wichtig. Zehn Tage später ließ der Landesschulrat persönlich dem Vater mitteilen, daß er «die Vereinbarung billige». Letzter Satz des Acht-Zeilen-Briefs: «Damit dürfte die Beantwortung der in Ihrem Brief am Schluß gestellten Fragen überflüssig geworden sein.» Nach außen schien der Fall erledigt, intern war er es noch nicht. Die Behörde forderte von der betroffenen Lehrerin der Helene-Lange-Schule eine Schilderung «über das Verhalten der Jüdinnen im Deutsch- und Religionsunterricht». Ende Juni lag Frau Ahlborns Bericht vor:

«Helene-Lange-Oberrealschule
Aufgefordert, mich über das Verhalten der Jüdinnen im Deutsch- und Religionsunterricht zu äußern, möchte ich folgendes sagen:

Schon durch die Anwesenheit *einer* Jüdin in der Klasse besonders der Oberstufe ist jeder Gesinnungsunterricht außerordentlich erschwert. Selbst wenn die Jüdinnen in ihren Äußerungen zurückhaltend sind, stellen sie, wenn sie sich überhaupt am Unterricht beteiligen, fast in jeder Stunde irgendwelche Fragen, die oft ganz unbewußt jede Stimmung zerstören. Gerade heute kann man auf die Kinder und jungen Mädchen nur aus einer starken Gemeinschaftsstimmung heraus wirken, da sie sonst viele Dinge nicht erleben können. Wir wollen sie ja nicht zum Diskutieren abrichten, sondern auf ihr Gemüt und ihren Willen einwirken. Wir wollen sie Tatsachen erleben lassen, wie etwa ein Kunstwerk oder die Grundlagen der Rasse und ihre Aufgaben als Mädchen und Frauen im deutschen Volk. Wie können wir das aber, wenn jedes aufkommende Erlebnis durch eine intellektuelle Frage ganz fremder Einstellung im Keim erstickt wird! Man kann sich als Lehrer dagegen in keiner Weise wehren, denn eine Erwiderung verschlimmert die Sache oft, eine Zurück- oder Zurechtweisung erst recht, und man muß ganz von neuem wieder anfangen aufzubauen. Kommt man, wie ja häufig im Deutschunterricht, auf die Rasse- oder Judenfrage zu sprechen, melden sich die Jüdinnen sofort, und man hat dann die Wahl, die Finger zu übersehen oder die Einwürfe anzuhören und zurückzuweisen. Tut man das erstere, gewinnen die übrigen den Eindruck, man fürchte den Einwurf, tut man das letztere, so bleibt die Wirkung des Einwurfs auf einige Schülerinnen selten aus. Dennoch ist fast am ratsamsten, scheint mir, die Einwürfe anzuhören, denn sonst werden sie gleich nach Schluß der Stunde auf die Klasse losgelassen.

Am schwierigsten und folgenschwersten scheint es mir, daß, haben wir Jüdinnen oder Juden in den Klassen, schon während der Schulzeit sich herzliche Freundschaften zwischen ihnen und unsern Kindern bilden, an denen jedenfalls die deutschen Kinder mit großer Treue hängen und dadurch für die Gefahren des Judentums blind bleiben und unempfänglich für alle Belehrung, denn meiner Erfahrung nach ist der Einfluß der Freundin immer stärker als der der Lehrkraft. Zumal die Juden sich mit den meisten Kindern und jungen Menschen sehr gut stehen und in den Klassen eigentlich immer, schon wegen ihrer größeren Aktivität, einen Mittelpunkt bilden. Durch ihre frühreife Intelligenz haben sie einen großen Einfluß auf fast alle Kameraden. Bei den Mädeln sichert ihnen das Mitleid mit ihrer Lage die Zuneigung oft grade der Besten. Diese Kinderfreundschaften würden sich nicht annähernd in der Zahl und in dem Maße zwischen Juden und Nichtjuden bilden, wenn die Juden eine eigene Schule besuchten. Mir persönlich scheint nach meinen Erfahrungen dieser Ausweg als der einzig mögliche, sollen unsere Kinder zu ihrem Recht kommen und wir Lehrer zu unserer vollen Einwirkungsmöglichkeit. Für uns Frauen insbesondere sind diese dauernden Konflikte aufreibend und niederdrückend. Alle Lehrkräfte, die in der Judenfrage anders denken, verschaffen den Juden in der Klasse durch unmerkliche, aber dauernde Rücksichtnahme eine Stellung, die nicht wenig verhängnisvoll für die anderen Schülerinnen ist. Und das geschieht, ohne daß der Schulleiter die Möglichkeit hat, die Sache abzustellen, weil sie nicht faßbar ist.

gez. Ahlborn»

Daß Frau Ahlborns antijüdische Haltung an der Helene-Lange-Schule kein Einzelfall war, belegt eine Eingabe des Schulleiters Grüber von Mitte Februar 1935 an die Behörde. In ihr wird deutlich, wie an manchen Schulen die Initiative ergriffen wurde, jüdische Schüler zu verdrängen, ohne daß «von oben» dazu bereits Weisungen vorgelegen hätten. Für die Oberstufe, berichtete Grüber, hätten sich drei jüdische Schülerinnen neu angemeldet. Von insgesamt sechzig Mädchen der Oberstufe seien im nächsten Schuljahr sieben Jüdinnen, «das sind also mehr als zehn vom Hundert». Das ging dem Schulleiter zu weit: «Es bedeutet das ein durchaus unerwünschtes Vordringen des Judentums insbesondere in den höheren Klassen, zumal diese Jüdinnen es während der Zeit, in der eine Kontrolle durch den Lehrer unmöglich ist, immer wieder versuchen, das während der Stunden in den Klassen im nationalsozialistischen Sinne besprochene Lehrgut durch ihren spezifischen Intellektualismus zu zersetzen.»

Grüber beschränkte sich nicht aufs Lamentieren. Er wollte vorangehen im antisemitischen Kampf, indem er ein perfides Verfahren anregte, um Juden von seiner Schule fernzuhalten: «Ich frage daher an, ob nicht auch die Versetzungen jüdischer Schülerinnen aus der IIb nach der IIa als Neuanmeldungen für die Oberstufe gewertet werden können, für die dann die Schlüsselzahl von 1,5 vom Hundert maßgebend sein würde. Nur dadurch», so Schulleiter Grüber, «würde es sich ermöglichen lassen, für die nächsten Jahre die Zahl der Jüdinnen auf der Oberstufe in einem angemessenen Maß zu halten.»

Die Behörde pfiff den übereifrigen antisemitischen Pädagogen vorerst zurück. Im typischen Amtsdeutsch, aber noch an geltenden Rechtsnormen orientiert, hieß es in der Antwort:

«Die Anregung der Schulleitung ist gesetzlich nicht durchführbar. Das Reichsgesetz gegen die Überfüllung deutscher Schulen vom 25. April 1933 in Verbindung mit der Ersten Durchführungsverordnung vom gleichen Tage sieht für die Beschränkung des Besuchs der höheren Schulen durch Nichtarier und insbesondere des Zugangs von Nichtariern zu diesen Schulen zwei Richtzahlen vor:

1. die Gesamtzahl der nichtarischen Schüler der höheren Schulen darf 5 Prozent nicht überschreiten;

2. Neuaufnahme von Schülern auf die höheren Schulen dürfen insgesamt 1,5 Prozent der neu aufgenommenen Schüler nicht überschreiten. Beide Richtzahlen beziehen sich auf die Gesamtheit aller die öffentlichen und nichtöffentlichen höheren Schulen im hamburgischen Staatsgebiet besuchenden bzw. die Gesamtzahl aller in diese Schulen neu aufzunehmenden Schüler; eine gesonderte Berücksichtigung der einzelnen Anstalten findet nicht statt; . . .

Jedenfalls kann aber eine besondere Kontingentierung der nichtarischen Schüler für einzelne Klassen oder auch für einzelne Klassengruppen, zum Beispiel für die Oberstufe der Schulen, nach dem Gesetz nicht vorgenommen werden . . .

Es ist insbesondere nicht möglich, die Richtzahl von 1,5 Prozent auf den Übertritt in die Oberstufe einer höheren Schule anzuwenden. Wer einmal auf die höhere Schule aufgenommen ist und nicht auf Grund des eingangs genannten Reichsgesetzes von der höheren Schule wieder verwiesen worden ist, hat ein Anrecht darauf, die höhere Schule bis zum Abschluß zu besuchen.

Im übrigen ist bei Würdigung der von der Schulleitung berichteten Tatsache, daß fortan sieben jüdische Schülerinnen die Oberstufe der Schule besuchen werden, zu berücksichtigen, daß nach dem Reichsgesetz bis auf weiteres in erheblicher Zahl jüdische Schüler die höheren Schulen besuchen, ohne als Nichtarier von dem Gesetz erfaßt zu werden: nämlich einmal die Kinder von Frontkämpfern und zum anderen die Kinder aus den vor Inkrafttreten des Gesetzes geschlossenen Mischehen, das heißt solcher Ehen, bei denen ein Elternteil oder zwei Großelternteile arisch sind. Die zuletzt aufgestellte Statistik läßt erkennen, daß zur Zeit noch die Mehrzahl der nichtarischen Kinder in dieser Weise geschützt ist und daß bei vielen Schulen überhaupt sämtliche nichtarischen Kinder noch unter die Schutzbestimmung fallen, also den arischen gleichzustellen sind . . .»

Wie sah es 1935 mit dem Anteil «ungeschützter Nichtarier» an den öffentlichen Schulen Hamburgs aus?

Ostern 1935 lagen 2070 Anmeldungen für die Sexten der «Höheren Staatsschulen» vor, zehn (0,5 Prozent) waren «ungeschützte» Juden. In den Privatschulen lag die Quote bei 3,4 Prozent. Ein Jahr zuvor hatten Hamburgs jüdische Familien immerhin noch fünfmal so viele Kinder neu in die fünften Klassen der öffentlichen Schulen geschickt, genau 49 (2,9 Prozent). 159 nichtarische Sextaner wurden allerdings für private Schulen angemeldet, wo der Lehrplan nicht durch antijüdische Hetze befrachtet war. Daß diese wenigen jüdischen Schüler nicht nur vielen Lehrern, sondern auch einigen Eltern ein Dorn im Auge waren, beweist eine Eingabe der Elternschaft der

Volksschule Binderstraße in Hamburg-Rotherbaum, einem Stadtteil mit traditionell hohem Anteil jüdischer Mitbürger, an den Hamburger Senat Anfang Juli 1935. Der Text nimmt gängige Vorurteile auf:

«... In den verschiedenen Klassen obiger Schule befinden sich sehr viele jüdische Kinder. Wir bitten höflichst, diese Kinder den jüdischen Schulen zu überweisen, die sich ja in der nächsten Nähe befinden, wie zum Beispiel Talmud Thora-Schule. Es ist doch wohl nicht ganz richtig, daß jüdische Kinder in deutschen Schulen unterrichtet werden. Unter Beobachtung der Satzungen unserer Partei und der von uns gesammelten Lebenserfahrungen handeln wir sicher im Sinne unseres Führers und Reichskanzlers.

Die Meinung des Hohen Senats in Betracht ziehend, denkt die Elternschaft, diese Eingabe als erste Schule in Deutschland mit *Erfolg* einreichen zu dürfen.

Gründe sind ferner:

1. Die Gegenwart der Juden verletzt das germanische Empfinden.

2. Die unmittelbare Nähe der Talmud Thora-Schule gestattet die (sic) Juden, ihre Kinder dort hinzuschicken.

3. Es besteht die Ansicht, daß 40 Prozent Grundbesitz in Groß-Hamburg jüdisch ist. Dort findet sich Platz, daß Juden sich jüdische Schulen bauen.

4. Der Deutsche baut die Schulen und Schulheime, der Jude macht sich breit, oft sogar in unverschämter Weise.

Mit der Bitte um gründliche Prüfung der Angelegenheit und in der Hoffnung auf Erfolg zeichnen wir mit deutschem Gruß

die Eltern von oben genannter Versammlung
(Unterschriften)»

Bei dieser Einstellung ist es kein Wunder, daß die jüdischen Mitbürger von den Nazis auf Schritt und Tritt kritisch beäugt und schon bei kleinsten Vergehen sofort denunziert wurden. Auch dafür ein Beispiel. Bei der Kreisleitung Süd der Hamburger NSDAP hatte sich ein Vater beschwert, die Gauleitung wandte sich Anfang Juli 1935 an die Landesunterrichtsbehörde. Das Anliegen des Vaters:

«Hierdurch möchte ich um Ihren Rat in folgender Angelegenheit bitten. Meine fünfzehnjährige Tochter besucht die Obertertia der Oberrealschule und Deutschen Oberschule auf dem Lübeckertorfeld. Als Mitschülerin hat sie u. a. eine Jüdin (Tochter eines Juden und einer Deutschen), die das Amt der Milchausgabe an die Kinder bekleidet. Wenn nun einige Kinder fehlen, so ist es vereinbart, daß die dadurch übrigbleibende Milch an andere Kinder verausgabt wird. Die Jüdin hält es jedoch für angebracht, vorerst ca. 3 Flaschen Milch selbst zu trinken. Als meine Tochter dieses Gebaren als echt jüdisch bezeichnete, wurde ihr von einer Mitschülerin unkameradschaftliches Verhalten vorgeworfen. Eine andere tat den Ausspruch, daß die Juden zum Teil bessere Menschen seien als Deutsche und Christen. Im August ist eine dreitägige Klassenwanderung geplant, bei welcher die Jüdin einen Teil der Führung übernehmen soll. Als meine Tochter darauf aufmerksam machte, daß sie sich von einer Jüdin nicht führen lasse, bemerkte eine weitere Mitschülerin, daß meine Tochter albern sei, denn die Jüdin führte ja nicht Deutschland . . . Weiter mache ich noch darauf aufmerksam, daß die Jüdin eine Erziehungsbeihilfe erhält, trotzdem sie kein Hehl daraus macht, daß sie später im Ausland studieren wolle, weil sie an einer deutschen Hochschule nicht zugelassen würde.

Auf Grund aller dieser Vorkommnisse suchte ich den Lehrer meiner Tochter auf, welcher unser Verhalten auch unverständlich fand. Die Jüdin sei von der Behörde anerkannt, und sie würde auch *nicht so gefördert werden, wenn es sich nicht eben um ein besonders intelligentes Mädchen handeln würde.* Im übrigen könne sie doch auch nicht als Jüdin gewertet werden, weil die Mutter ja eine Deutsche sei.

Da ich dieses nicht mit meinen Erziehungsgrundsätzen vereinbaren kann, bitte ich Sie, diese Sache zu prüfen und mir dann Rat zu erteilen.»

Das Personalamt der NSDAP Hamburg fügte dem Bericht des Vaters nur einen Satz hinzu, der deutlich macht, was die Partei von der Behörde nicht nur in diesem Fall erwartete: «Wir bitten um Prüfung und gegebenenfalls Veranlassung, da es unseres Erachtens nicht angängig ist, im Dritten Reich ein nichtarisches Kind besonders zu fördern, auch wenn eine besondere Intelligenz vorhanden ist.»

Die Stellungnahme des Schulleiters deutet an, daß die Klosterschule stramm auf Nazi-Kurs lag und selbst unbedeutende Verstöße gegen die geschlossene antisemitische Front nicht geduldet wurden.

Auszüge aus dem Schreiben des Direktors:

«Die Verwalterin der Frühstücksspeisung, die technische Lehrerin M. Behr, hat die Schülerin Maria Cohn für den Fall ihres Fortbleibens mit der Ausgabe der Frühstücksmilch beauftragt. Sie hat ihr weiterhin gestattet, die infolge Fehlens einzelner Schülerinnen nicht zur Ausgabe gelangende Milch nach eigenem Ermessen zu verteilen, bzw. sich selbst dabei zu bedenken. Diese bevorzugte Behandlung glaubte Frl. Behr der Halbjüdin zugestehen zu dürfen, weil das Mädchen in den allerdürftigsten sozialen Verhältnissen aufwächst, weil sie sich aber auch andererseits als charaktervoll und zuverlässig erwiesen habe.

Von dieser eigenmächtigen, den in der Klosterschule herrschenden Grundsätzen durchaus entgegenstehenden Beauftragung einer Nichtarierin ist der Schulleitung bis zum Eingang der vorliegenden Beschwerde nichts bekannt gewesen. Der unterzeichnete Schulleiter hat unter dem 5. Juli 1935 die sofortige Ablösung der Maria Cohn verfügt. Ebenso ist Frl. Behr auf das Unmögliche ihres Verhaltens hingewiesen und von ihrem Posten als Speiseleiterin entfernt worden.»

Wichtiger noch: eine ideologische Ausrichtung der Lehrerschaft auf die antijüdische NS-Parteilinie wurde angekündigt. «Die Schulleitung der Klosterschule wird die erste Lehrerversammlung nach den Ferien benutzen, um noch einmal eindeutig den heute einzig möglichen Standpunkt in der Behandlung der nichtarischen Schüler festzulegen.» Da war es nur konsequent, jüdischen Schülern keine finanzielle Unterstützung zukommen zu lassen. Der Direktor stellte klar:

«Es trifft zu, daß Maria Cohn im vergangenen Jahr eine Erziehungsbeihilfe erhalten hat, und zwar deswegen, weils sie uns ausdrücklich von der Behörde zur Berücksichtigung bei Vergebung von Erziehungsbeihilfen aufgegeben wurde. Da die Zahl der Bedürftigen in der Klosterschule im Steigen begriffen ist, hat der unterzeichnete Schulleiter Maria Cohn bereits im Frühjahr dieses Jahres von der Liste der zu Bedenkenden gestrichen. Maria Cohn erhält somit keine staatliche Unterstützung.»

Über die Reaktionen der Juden auf das ständig zunehmende Kesseltreiben gegen sie, auf die wachsende Diskriminierung im Bereich der Schule, sind für diese Zeit nur selten Details bekannt geworden. Viele resignierten und ertrugen die Schikanen. Wer es sich finanziell leisten konnte und die drohende Gefahr rechtzeitig erkannte, verließ die Heimat. Aber noch lebten die meisten Juden in Deutschland. Nicht alle nahmen schweigend hin, was die Nazis durchsetzten. Das beweist ein mutiger Brief, den ein Hamburger Facharzt am 11. September 1935 an den Leiter der Lichtwark-Schule in Hamburg schrieb:

«. . . in einem gestern durch die Tageszeitungen bekanntgegebenen Erlaß des Reichserziehungsministers wird die Rassentrennung für die Volksschulen angekündigt, für die höheren Schulen in Aussicht gestellt.

Da ich und meine Familie Wert darauf legen, unser Volljudentum in jeder Hinsicht und bei jeder Gelegenheit eindeutig zu betonen; da wir auf dem vorliegenden Gebiet nur eine Solidarität zwischen den jüdischen Kindern aller Schulgattungen empfinden und da wir im übrigen nicht abzuwarten pflegen, bis man einen uns angedeuteten Hinauswurf zur Tatsache macht, melde ich hiermit meinen Sohn Fritz zu Michaelis dieses Jahres aus der Lichtwark-Schule ab . . .»

Direktor Zindler sah sich durch die «Tonart dieses Schreibens und [den] Hinweis auf das Alljudentum veranlaßt», den Brief des Vaters an die Behörde weiterzuleiten – die Denunziation blühte!

Die Nürnberger Gesetze und ihre Ausführungsbestimmungen machten zusammen mit den antijüdischen Unterrichtsinhalten den jüdischen Schülern das Leben an den staatlichen Schulen immer schwerer. Ihre Rechte wurden weiter eingeschränkt, die Schikanen nahmen zu. Wo es staatliche Verordnungen nicht schafften, gelang es Lehrern, Eltern und Mitschülern mit vereinten Kräften, die Juden aus den öffentlichen Schulen hinauszuekeln, die sich fortan mit der Bezeichnung «Deutsche Schule» schmückten. Diejenigen jüdischen Schüler, die noch nicht «freiwillig» gegangen waren, traf am 15. November 1938 ein Erlaß des Reichserziehungsministers. Eine Woche zuvor hatte der siebzehnjährige Jude Herschel Grynspan in Paris einen Angehörigen der Deutschen Botschaft erschossen, was für Goebbels das Signal zu einem großangelegten Judenpogrom im gesamten Reich war. In der Nacht vom 9. auf den 10. November brannten die Synagogen, wurden jüdische Geschäfte demoliert und geplündert, Wohnungen der Juden verwüstet, schlimmer noch: Juden ermordet und in Konzentrationslager verschleppt. Wenige Tage später wurde an den Schulen «durchgegriffen»:

«Nach der ruchlosen Mordtat von Paris», hieß es in dem Erlaß, «kann es keinem deutschen Lehrer und keiner deutschen Lehrerin mehr zugemutet werden, an jüdische Schulkinder Unterricht zu erteilen. Auch versteht es sich von selbst, daß es für deutsche Schüler und Schülerinnen unerträglich ist, mit Juden in einem Klassenraum zu sitzen. Die Rassentrennung im Schulwesen ist zwar in den letzten Jahren im allgemeinen bereits durchgeführt, doch ist ein Restbestand jüdischer Schüler auf den deutschen Schulen übrig geblieben, dem der gemeinsame Schulbesuch mit deutschen Jungen und Mädeln nunmehr nicht weiter gestattet werden kann.

Vorbehaltlich weiterer gesetzlicher Regelung ordne ich daher mit sofortiger Wirkung an:

. . . Juden ist der Besuch deutscher Schulen nicht gestattet. Sie dürfen nur jüdische Schulen besuchen. Soweit es noch nicht geschehen sein sollte, sind alle zur Zeit eine deutsche Schule besuchenden jüdischen Schüler und Schülerinnen sofort zu entlassen.

... Diese Regelung erstreckt sich auf alle mir unterstellten Schulen einschließlich der Pflichtschulen.»

In Hamburg reagierte die Behörde noch am selben Tag. Die Schulpflicht für Juden wurde ganz aufgehoben. Den jüdischen Kindern stand nur noch die Talmud Thora-Schule für Jungen und die Israelitische Mädchenschule offen. Deutschlands Schulen waren «judenfrei».

Vergewaltigung des Elternwillens

Wie die Nazis die «Deutsche Gemeinschaftsschule» durchsetzten

Seit Anfang 1937 wurde in Bayern die Einführung der sogenannten «Deutschen Gemeinschaftsschule» besonders forciert. Die katholischen und evangelischen Bekenntnisschulen sollten endlich von der Bildfläche verschwinden. Die Partei und vor allem die im NSLB zusammengefaßten Lehrer wurden vom Kultusminister beauftragt, die Elternschaft für die Gemeinschaftsschule zu gewinnen. Im fränkischen Bezirk Ebermannstadt hatte die Erklärung, der die Eltern zustimmen sollten, folgenden Wortlaut:

«Ich will, daß die Erziehung meines Kindes in der Schule nicht zu religiösem Unfrieden mißbraucht wird.

Ich will, daß in der deutschen Volksschule, der Schule der Volksgemeinschaft, der Religionsunterricht in derselben Stundenzahl, von den gleichen Religionslehrern nach Bekenntnissen getrennt, gegeben wird.

Ich will, daß im übrigen Unterricht die deutsche Jugend gemeinsam für ein starkes, einiges, antibolschewistisches Deutschland erzogen wird.

Ich will, daß in der deutschen Volksschule, der Schule der deutschen Volksgemeinschaft, alle Kinder gleich sind, ohne Unterschied von Name und Stand der Eltern.

Ich stehe in diesen entscheidenden Tagen zum Führer, denn ich weiß, daß es in dieser Zeit, in der der Gemeinschaftsgeist Gemeingut aller wird, für die Erziehung der deutschen Schuljugend nur eine Parole gibt: Ein Führer, ein Volk, eine Schule. Daher erkläre ich mich für die Deutsche Volksschule, die Schule der deutschen Volksgemeinschaft.»[34]

Der Trick ist offensichtlich: Das Bekenntnis zur Gemeinschaftsschule wurde mit einem Bekenntnis zur nationalsozialistischen Staatsführung verkoppelt. Trotz dieses Vorgehens, das eine freie Entscheidung stark beeinträchtigte, hatte die Gemeinschaftsschul-Kampagne nur zum Teil Erfolg. Aus dem Monatsbericht des Bezirksamts Ebermannstadt (September 1937):

«Die Bestrebungen der Partei und des Volkes zur Einführung der Gemeinschaftsschule, die zur Zeit im Gange sind, stießen in einzelnen Orten auf heftigen Widerstand der evangelischen Christlichkeit und der Anhänger der Bekenntnisfront. Besonders in den Gemeinden Meggendorf und Hetzelsdorf haben die dortigen evangelischen Pfarrer die Erziehungsberechtigten in und außerhalb der Kirche dahin zu beeinflussen versucht, daß sie unter allen Umständen die Gemeinschaftsschule ablehnen sollen und keine Unterschrift für die Gemeinschaftsschule hergeben sollen.»[35]

Die Bevölkerung war hin- und hergerissen. Sollte sie dem Pfarrer folgen oder der Partei? In Aufseß zum Beispiel hatten die Eltern unter dem Druck der Partei zunächst die vorgedruckten Erklärungen für die Gemeinschaftsschule unterschrieben. Dreizehn von ihnen zogen unter dem Einfluß des Pfarrers ihre Unterschriften wieder zurück, annullierten diesen Widerspruch jedoch, als sie anschließend vor den Ortsbürgermeister geladen und dort «aufgeklärt» wurden. 1938 konnte in Aufseß die Gemeinschaftsschule eingeführt werden.

Der Pfarrer war empört: «Wir können diese Maßnahme nur als Vergewaltigung des Elternwillens ansehen und erheben ernstesten Einspruch.» Er schien noch zu glauben, die Nazis würden ihre Versprechen halten: «Wir lassen uns unsere evangelische Schule, die durch Erklärungen unseres Führers hinreichend gesichert ist, auf solche Weise nicht nehmen.» Der Pfarrer protestierte vergeblich.

Nebenbei: In den fünfziger Jahren wehrten sich die Kirchen mit den gleichen Worten gegen die Einführung der Gemeinschaftsschule. Wenn der Einfluß auf die eigenen Schäflein bedroht war, ob von Nazis oder Demokraten – die geistlichen Hirten erhoben lautstark ihre Stimme. Leider nur dann.

In manchen streng evangelischen Gemeinden, so in Birkenreuth, hatte der Lehrer zunächst selbst von einer Abstimmung abgeraten:

«Diese Leute sind fanatisch kirchlich und Beeinflussungen von anderer Seite unzugänglich (sie gehen zum Beispiel auch in kein Wirtshaus). Der Rest der Bevölkerung dürfte voraussichtlich ebenfalls in der Mehrzahl gegen die Gemeinschaftsschule stimmen. Auch bei ihnen kommt erst die Kirche und ihr Dogma. Ich habe zum Beispiel Beweise, daß Leute, die sich sonst ihrer nationalsozialistischen Gesinnung nicht genug rühmen konnten, in den Juden immer noch das ‹auserwählte Volk› sehen und den Kampf gegen das Judentum somit ablehnen. Die Kirche, insbesondere Dekan Zahn, hat schon lange still, aber nachdrücklich gegen die Gemeinschaftsschule gearbeitet, zum Beispiel anläßlich der Kirchenvisitation in Streitberg, wo er besonders die Birkenreuther warnte, da sie sonst einen katholischen Lehrer bekommen könnten. Auch aus rein politischen Gründen dürften sich Schwierigkeiten ergeben, da ein beträchtlicher Teil der Bevölkerung der Partei mißtrauisch, ja ablehnend gegenübersteht. Auf die zuständigen Parteistellen ist in dieser Frage kein unbedingter Verlaß, dulden sie doch die Gegenarbeit des Herrn Dekan Zahn, trotzdem er Parteimitglied ist.»[36]

Wenn Erfolge gemeldet wurden, ist Skepsis angebracht. In der Stadt Hollfeld etwa hatte die Bevölkerung angeblich mit 96 Prozent für die Gemeinschaftsschule gestimmt. Auf welch dubiose Weise diese Stimmenzahl zustande gekommen war, beweist der Bericht des Bürgermeisters (Februar 1938):

«Die Erziehungsberechtigten wurden durch Einladungsschreiben in die Stadtkanzlei geladen. Auf dem Einladungsschreiben ist vermerkt, daß die Nichterscheinenden sich für die Gemeinschaftsschule entscheiden. Gegen Unterschrift bekannten sich zur Gemeinschaftsschule 50 Erziehungsberechtigte. Nicht erschienen sind und haben sich damit zur Gemeinschaftsschule bekannt: 32 Erziehungsberechtigte. 58 Erziehungsberechtigte sind erschienen und erklärten auf die Anfrage, ob sie etwas gegen die Gemeinschaftsschule einzuwenden hätten. ‹Nein›. Gegen die Gemeinschaftsschule hatten sie nichts einzuwenden, aber sie wollten es wie bisher, halt Bekenntnisschule. Auf Grund dieser Äußerungen haben sie sich ebenfalls für die Gemeinschaftsschule entschieden. Durchaus gegen die Gemeinschaftsschule waren sechs Erziehungsberechtigte. Vorhanden sind insgesamt 146 Erziehungsberechtigte, hiervon für die Gemeinschaftsschule 140, das ist 96 Prozent.»[37]

«Wer ein Kreuz antastet, dem müßten die Hände wegfaulen»

Der Kruzifix-Streit

In der katholischen Bevölkerung wurde Protest laut. Nicht etwa, weil Schulkinder mit «arischer» Mathematik indoktriniert wurden oder Rassenkunde zum Hauptfach avancierte. Protestiert wurde, weil die «Ausrottung der christlichen Religionsgemeinschaften» drohte.

Was war passiert? In Oldenburg und Trier zum Beispiel, später auch in Bayern, war angeordnet worden, die Kruzifixe aus den Schulräumen zu entfernen, um Hitler-Bildern Platz zu machen.

Verfügung des Regierungspräsidenten von Trier (Juni 1937): «Stets muß zumindest ein einwandfreies, den Raumverhältnissen entsprechend großes Bild des Führers an beherrschender Stelle des Klassenzimmers, zweckmäßig in der Mitte der Vorderwand, angebracht sein.»[38]

Das Kruzifix mußte weichen. In mehreren Orten des Regierungsbezirks Trier drangen daraufhin die Einwohner gewaltsam in die Schulen ein und hängten die Kreuze an die alte Stelle zurück. Für den Staatsanwalt Grund genug, Haftbefehl wegen Landfriedensbruch zu erlassen.

Der Oberstaatsanwalt in Trier über die Vorgänge in einem Hunsrückdorf (Januar 1937):

«Tatsache ist, daß etwa 30 bis 40 Dorfeingesessene am Nachmittag des 6. Januar 1937 in die nicht abgeschlossene Schule eindrangen, um das Kreuz wieder an seinen alten Platz zu hängen. Entgegen dem unzweideutigen Hinweis des Zeugen R., daß das Kreuz auf Anordnung der Regierung umgehangen worden sei und daß die Eindringlinge sich des Landfriedensbruchs schuldig machten, wenn sie gegen diese Anordnung verstießen, hängte der Beschuldigte BA. mit Hilfe einer von dem Beschuldigten BC. herbeigeholten Leiter das Kreuz rechts oben neben das Führer-Bild, das man an dem diesem neu zugewiesenen Platz beließ. Alsdann verließ man das Schulgebäude.

Das Amtsgericht Rhaunen hat am 9. Januar 1937 gegen BA. . . . . Haftbefehl erlassen.»[39]

Durch Führererlaß wurden alle eingeleiteten Strafverfahren ohne jede Begründung niedergeschlagen. Die Begründung kann nachgeliefert werden: Opposition war tabu, das Bild vom gehorsamen Volksgenossen durfte nicht getrübt werden.

Als die Gaupropagandaleitung im April 1939 von den Ortsgruppen einen Bericht über die Reaktion der Bevölkerung auf den «Kruzifix-Erlaß» anforderte, taten offizielle Stellen so, als habe die Entfernung der Kreuze «keinerlei wesentliche Unruhe» hervorgerufen. Aber immer noch war der Erlaß in einigen Ortschaften heftig umstritten, in anderen überhaupt nicht befolgt worden.

Auszüge aus den Berichten der Ortsgruppen aus dem NSDAP-Kreis Trier (Mai 1939):

«In vereinzelten Kreisen, in denen die Entfernung bekannt wurde, hat sich allerdings auch schon eine gewisse Mißstimmung bemerkbar gemacht. Hier hört man dahingehende Äußerungen, daß solche Maßnahmen nur von den nachgeordneten Dienststellen des Staates bzw. der Partei durchgeführt würden, von denen der Führer bestimmt nichts wüßte. Hier handelt es sich um dieselben Kreise, die sich auch gegen die Einführung der Gemeinschaftsschule ausgesprochen haben. Sie erkennen die Taten des Führers an, was sie auch immer wieder betonen, haben aber kein Verständnis für die Maßnahmen, die von den ‹kleinen Hitlern› durchgeführt werden . . .»[40]

«Soweit ich festzustellen vermag, scheint der Ortsbauernführer Pg. D. ganz besonderes Interesse dafür zu zeigen, den Führer der Opposition zu spielen. Aus einer Auseinandersetzung zwischen ihm und dem Ortsgruppenleiter E. deren Anlaß sein Antrag auf Wiederanbringung der Kruzifixe in den Schulen war, ist diese Annahme begründet. Des weiteren hat sich seine Ehefrau, die Mitglied der Frauenschaft ist, geäußert, daß das keine Sachen wären, die Kruzifixe aus den Schulen zu entfernen: ihr Mann hätte sich hierüber auch stark empört und gesagt, daß er helfen würde, wenn sie – die Kreuze – wieder angebracht würden. Auch hieraus ist zu schließen, daß sich gerade die Familie D. stark in die Opposition stellt. Meines Erachtens nach ist Pg. D. als Ortsbauernführer nicht mehr tragbar.

Des weiteren hat ein Teil der Lehrerschaft ein Verhalten an den Tag gelegt, das alles andere darstellt, als staatliche Anordnungen zu unterstützen und sie rückhaltlos zu vertreten. Der Lehrer A. hat sich – nach Angaben von Schulkindern – am Tag nach der Entfernung der Kruzifixe wie folgt geäußert: ‹Sagt euren Eltern zu Hause, die Kruzifixe seien aus den Schulen rausgeholt worden; auch dürften wir nicht mehr beten.› Auch soll es die Lehrerin B. fertiggebracht haben, die Kinder zu fragen, ob es ihnen nicht auffallen würde, daß etwas im Schulsaal fehlt. Nachdem die Kinder nun Antworten gaben, die sich nicht auf die Kruzifixe bezogen, hat sie es noch selbst getan. Derartige Machenschaften von Lehrpersonen sind zu mißbilligen und verdienen, geahndet zu werden.

Ich bitte, dafür einzutreten, daß zunächst mal der Kaplan zur Rechenschaft gezogen wird. Der Bursche ist reif für hinter Schloß und Riegel. Der Ortsbauernführer und die benannten Lehrpersonen müssen ebenfalls zur Ordnung gerufen werden. Wird hier nichts unternommen, haben wir in Zukunft in . . . schwere Arbeit.»[41]

«In meinem Hoheitsbereich sind sechs Schulsäle vorhanden. In sämtlichen sechs Sälen hängt heute noch das Kruzifix. Es ist von der Entfernung derselben durch die Lehrpersonen wie auch durch die Bevölkerung bis dato kein Wort gesprochen worden. Ich nehme bestimmt an, daß die Lehrpersonen nicht gewillt sind, die Kruzifixe zu entfernen.»[42]

In Bayern war der Widerstand der katholischen Bevölkerung noch hartnäckiger. Im Monatsbericht der fränkischen Gendarmerie-Station Ebermannstadt heißt es (Juni 1941):

«Der Erlaß des Staatsministers (für Unterricht und Kultur) Adolf Wagner in München über die gelegentliche Entfernung der Kruzifixe aus den Schulen hat in den katholischen Bevölkerungskreisen viel Staub aufgewirbelt und hat überall den schärfsten Widerstand ausgelöst. Entfernt wurden bis jetzt keine Kruzifixe.»[43]

Der Kruzifix-Erlaß erregte die Bevölkerung mehr als der Einmarsch der deutschen Truppen in Rußland. Aus dem Monatsbericht des Gendarmerie-Kreisführers (Juni 1941):

«Wie anderwärts wurden auch im Landkreis Ebermannstadt weite Kreise der Bevölkerung durch die Maßnahmen des Führers gegen die Sowjetrepubliken sichtlich überrascht . . .

Wesentlich ernster ist dagegen die Mißstimmung einzuwerten, die der ‹Kruzifix-Erlaß› bei dem glaubenstreuen katholischen Landvolk auslöste. Vielleicht seit Jahren erschütterte keine staatliche Maßnahme bzw. Anordnung das Vertrauen so sehr, als dies hier geschah . . .

Äußerungen des Inhalts, nun wisse man, wie der Wagen laufe, nun lasse man sich durch nichts mehr hinter das Licht führen, waren ungefähr noch das Mildeste, was zu hören war. In Ebermannstadt lief die Äußerung um, wer ein Kruzifix in der Schule antaste, dem müßten Hände und Füße wegfaulen. Ein Bauer in Moggendorf bei Hollfeld, der drei Söhne im Feld stehen hat, soll nach zuverlässiger Bekundung eines Gewährsmannes gesagt haben, es wäre ihm lieber, die drei Buben würden an der Front fallen, dann bräuchten sie wenigstens nach dem Krieg in der Heimat die noch schlimmeren Religionsfehden nicht mitzumachen. In Hochstahl, das in der Butterablieferung mit an erster Stelle stand, führte diese Maßgabe schlagartig zu einem starken Rückgang der Butterabgabe, so daß diese Gemeinde fast an letzter Stelle sich nunmehr befindet. Hauptlehrer und Ortsgruppenleiter Bittel in Drosendorf bei Ebermannstadt erklärte, es sei auf dem Lande für den Lehrer praktisch unmöglich, diesen Erlaß zu vollziehen, da er sich damit in seiner Gemeinde für immer unhaltbar machen würde. Nicht nur, daß er wirtschaftlich boykottiert würde, es bliebe ihm forthin auch jedes Vertrauen versagt. Ebenso bekundeten verschiedene Landbürgermeister, daß sie lieber ihr Ehrenamt niederlegen, als an der Beseitigung des Kruzifixes mitzuwirken. Der NSV-Kreisamtsleiter Becher, Ebermannstadt, sah sich zur Meldung des Rückgangs der Sammelergebnisse veranlaßt, vertraulich die Anweisung zu geben, von der Entfernung der Kruzifixe in den Schulen Umgang zu nehmen. So ist praktisch der Erlaß nicht nur unwirksam geblieben, sondern dem Vollzug stellten sich Schwierigkeiten entgegen, die jedenfalls noch lange nachwirken werden . . .»[44]

Der massenhafte Protest zahlte sich aus: Noch im selben Jahr wurde der Kruzifix-Erlaß klammheimlich zurückgenommen.

Selbst Nazi-Lehrer sorgen sich – «Minderung der Schulleistung»

Um die Eingriffe der HJ in den Schulbetrieb zu stoppen, erließ in Hamburg Senator Witt eine Verordnung «Betrifft: Abgrenzung der Aufgaben der Schulen und der HJ». Was hier der HJ Schranken setzen sollte, liest sich wie eine Bankrotterklärung der Schule. Auszüge:

«– Aufgaben und Veranstaltungen, die aus dem Unterricht und dem Erziehungsziel der Schule hervorgehen oder zu ihrer Unterstützung unentbehrlich sind, sollen in die zusammenhängende werktägliche Unterrichtsarbeit eingebaut werden. Das gilt grundsätzlich auch für die von der Schulverwaltung veranlaßten Konzerte und Schulvorstellungen in Theatern. Der Unterricht soll grundsätzlich um vierzehn Uhr beendet sein, um der HJ und dem BDM den pünktlichen Beginn ihres Dienstes ab sechzehn Uhr zu ermöglichen . . .

– Den Schulen stehen zur Erfüllung ihrer Sonderaufgaben, die sich nicht in der Schulzeit bis vierzehn Uhr erledigen lassen, jährlich insgesamt zwölf Schultage zu, die sie einzeln als monatliche Wandertage oder an mehreren Tagen zusammengefaßt zu Wanderungen, Studienreisen, Schulgemeinschaftsfahrten, Schulheimaufenthalten usw. ansetzen können. In diesem Rahmen findet auch das übliche Sport- und Spielfest der hamburgischen Schulen statt. HJ und BDM geben den Jungen und Mädeln grundsätzlich hierfür frei . . .

– HJ und BDM können, wie bisher, Jungen und Mädel für die Teilnahme an Schulungslehrgängen, Reichsparteitagen, Adolf-Hitler-Marsch usw. aus der Schule beurlauben lassen. Die Schule wird diesem Antrag immer dann entsprechen, wenn die Schulversäumnisse in Anbetracht der schulischen Forderungen und der Leistungsfähigkeit des Schülers (der Schülerin) tragbar erscheinen. HJ und BDM werden solche Beurlaubungen in der Zeit von Weihnachten bis Ostern möglichst nicht erbitten.»

Am Ende seines Erlasses berührt Witt noch einen besonders wunden Punkt:

«Die Gebietsführung der HJ und die Schulverwaltung werden gemeinsam darauf hinwirken, daß die Jungen und Mädel nur noch in dringenden Fällen zu Sammlungen und anderen außerschulischen Aufgaben während der Schulzeit und des regelmäßigen HJ-Dienstes herangezogen werden.»

Was würde nicht alles gesammelt:

– Knochen, da sich die «Versorgung der deutschen Knochenindustrie mit inländischen Knochen» als unzureichend erwiesen hatte,
– Roßkastanien, zur «Sicherung der Roßkastanienernte 1937»,
– Säcke, aus Anlaß einer «Aktion zur Erfassung gebrauchter Jutesäcke»,
– Arznei- und Teekräuter; ein Merkblatt der «Gauabteilung der Reichsstelle für Heilkräuter» gab nähere Anweisungen,
usw., usw.

Diagnose der Gauwaltung Hamburg des NS-Lehrerbundes: «Minderung der Schulleistung durch Überbürdung und Störung der Schularbeit.» Ähnlich urteilte 1942 der Landrat des fränkischen Bezirks Ebermannstadt:

«Anfang dieses Monats war die Musterung des Jahrgangs 1925. Der Eindruck, den ich dabei gewonnen habe, war noch schlechter wie bei der Musterung des Jahrgangs 1924 heuer im Februar ... Ganz niederschmetternd waren die Ergebnisse der Prüfungen über Kenntnisse im Rechnen, Geographie, Geschichte usw. Es scheint doch so zu sein, daß unmittelbar nach der nationalen Erhebung die Schulkinder vor lauter Schulferien, Staatsjugendtagen (schulfreie Sonnabende), freien Ganztagen und Halbtagen, beschränkten Stundenzahlen, sportlichen Veranstaltungen, Wanderungen, Beurlaubungen, Durchführung von Sammlungen usw. gar nicht mehr dazu gekommen sind, in erster Linie einmal richtig Schreiben und Rechnen usw. zu lernen.»[45]

Alte Schuhe werden gesammelt!

Die Kriegsführung stellt starke Anforderungen an unsere Lederwirtschaft. Die Versorgungsmöglichkeiten durch die Einfuhr sind eingeschränkt. Selbstverständlich muß der zivile Bedarf zurückstehen, wenn es im Interesse der Ausrüstung der Wehrmacht notwendig ist.

Um aber alle Möglichkeiten für die Versorgung mit Schuhen nutzbar zu machen, werden am

Sonntag, den 2. Juni, vormittags

durch Mitglieder der Frauenschaft und der Hitlerjugend alte Schuhe gesammelt. Bei Abwesenheit wird am

Montag, den 3. Juni, nach 18 Uhr

nochmals durch die Beauftragten nach Schuhen gefragt werden. Auch völlig abgetragene Schuhe und alte Ledersachen sind bereitzuhalten. Sehr erwünscht sind Kinderschuhe aller Größen. Die Verwertung erfolgt durch das Hauptwirtschafts- und Ernährungsamt.

Was in den einzelnen Wohnungen, in Schubladen und Kästen, in Kellern und Böden ein nutzloses Dasein fristet, kann heute zweckmäßiger verwandt werden.

Darum heraus mit den alten Schuhen!

NSDAP., Gau Hamburg

Rotationsdruck: Berg & Otto, Hamburg 11

Die Hoffnung des Landrats, daß endlich «wieder jene Volksschule geschaffen wird, in der, wie früher, wenigstens die Elementarfächer gründlich und nachhaltig eingebleut werden», war illusionär. Während des Krieges wurde den Schülern noch weniger beigebracht als zuvor.

Unter dem verblüffenden Titel «Führerprinzip oder Auf dem Dache sitzt ein Greis, der sich nicht zu helfen weiß» notierte Anfang März 1940 ein Hamburger Schulleiter:

«Am Sonnabend, dem 3. Februar dieses Jahres, wurden die Schulen Groß-Hamburgs für eine Woche wegen Kohlenmangels geschlossen.

Im Laufe dieser Woche erfolgte die Beschlagnahme der Schule Walter-Flex-Str. zwecks Einrichtung eines Hilfskrankenhauses. Sie mußte bis zum 17. geräumt sein. Einen Beschluß, ob die Schulen wieder anzufangen hätten, hatte die Behörde noch nicht fassen können. Für die obdachlos gewordenen Mädchenschulen war selbstverständlich auch noch keine Entscheidung getroffen.

Wir entließen darum unsere Mädchen am Montag, dem 12., mit dem Bescheid, sich am Donnerstag, dem 15., wieder zu melden.

Wir mußten sie auf Sonnabend, den 17., vertrösten. Um aber nicht die ganze Klasse zu bemühen, bestellte ich fünf Mädchen zum Befehlsempfang in meine Wohnung. Sie sollten ev. eine entsprechende Anzahl Laufzettel in Bewegung setzen.

Am 17. war die Lage noch genauso ungeklärt wie vorher, so daß ich die Schülerinnen am Mittwoch, dem 21., wiederkommen ließ.

Abermals keine besonderen Ereignisse. Es könne aber damit gerechnet werden, daß den Mädchenschulen die Luisenschule überlassen werde.

Am Sonnabend, dem 24., hieß es: ‹Wenn kein Gegenbefehl kommt, ist der Unterricht am Dienstag wiederaufzunehmen.› Die Raumfrage ist noch ungeklärt.

Am Mittwoch, dem 23., keine besonderen Ereignisse.

Am Donnerstag, dem 29., dasselbe.

Am Sonnabend, dem 2. März, fällt die Entscheidung. Die beiden Schulen auf dem Gojenberg benutzen die Knabenschule am Birkenhain, die beiden anderen die Räume am Brink.

Hier stehen im Vordergebäude fünf Klassenzimmer und der Zeichensaal zur Verfügung. Wegen der auswärtigen Schüler des Oberbaues erhält die Brauerstraße die Zeit von dreizehn bis siebzehn Uhr zugewiesen, und zwar haben die Klassen 8 bis 4 von dreizehn bis fünfzehn und die übrigen von fünfzehn bis siebzehn Uhr zu kommen.

Das Hintergebäude ist nicht benutzbar, weil die Rohre und Heizkörper der Heizungsanlage Frostschäden aufweisen. Unbenutzbar sind außerdem die Waschbecken und die Abortanlage. Für die rund 240 Mädel der jeweils anwesenden sechs Klassen steht *ein* Abort der öffentlichen Bedürfnisanstalt am Brink zur Verfügung. Ein wirklich vorbildlicher Zustand!

Die Sache wird noch schlimmer durch die Weigerung der städtischen Verwaltung, die Instandsetzungsarbeiten ausführen zu lassen. Einmal müßte gleichzeitig mit dem Bau eines Luftschutzkellers begonnen werden, zum anderen ist auch die Beschlagnahme dieser Schule vorgesehen für den Fall, daß die Seewarte gezwungen sein sollte, Hamburg zu verlassen.

Ganz besonders interessant ist eine in einer Schulleiterbesprechung gefallene Äußerung, daß die Schulverwaltung von der vorgesehenen Beschlagnahme kein Sterbenswörtchen erfahren hat. Sie sah sich am Sonnabend, dem 26. August, vor die vollendete Tatsache gestellt. Wir befinden uns selbstverständlich auch nicht mehr am Brink. Am Montag, dem 11. März, sollte die Knabenschule am Birkenhain in die Hansaschule übersiedeln. Sie weigerte sich zwei Tage. Vom 13. ab lassen wir also unsere Klassen nach dem Birkenhain kommen.»

Ganze Jahrgänge erhielten unzulänglichen Unterricht: Tausende von Schulen wurden im Krieg zerstört; Zehntausende von Lehrern waren Soldaten; Hunderttausende von Kindern wurden in Lagern gehalten. Schon die Fünfzehnjährigen wurden an Flakscheinwerfer und -geschütze gestellt.

Familie

«Na, Frau Mirkovski, wann ist es denn bei Ihnen soweit?»
(Aus: Kurt Halbritter: Adolf Hitlers Mein Kampf)

Auf in die Geburtenschlacht

«Was der Mann an Opfern bringt im Ringen eines Volkes, bringt die Frau an Opfern im Ringen um die Erhaltung dieses Volkes in den einzelnen Fällen. Was der Mann einsetzt an Heldenmut auf dem Schlachtfeld, setzt die Frau ein in ewig geduldiger Hingabe, in ewig geduldigem Leid und Ertragen. Jedes Kind, das sie zur Welt bringt, ist eine Schlacht, die sie besteht für das Sein oder Nichtsein ihres Volkes.»

Mit diesen Worten skizziert Adolf Hitler die Grundidee der NS-Familienpolitik. Wie sah die Realität aus?

Nordische Gattin gesucht

Einen Einblick in das nationalsozialistische Ideal von Ehe und Familie geben Zeitungsanzeigen jener Jahre. Zwei Beispiele:

«Witwer, 60 Jahre alt, wünscht sich wieder zu verheiraten mit einer nordischen Gattin, die bereit ist, ihm Kinder zu schenken, damit die alte Familie in der männlichen Linie nicht ausstirbt.»

Hamburger Fremdenblatt, 5. Dezember 1935

«Zweiundfünfzig Jahre alter, rein arischer Arzt, Teilnehmer an der Schlacht bei Tannenberg, der auf dem Lande zu siedeln beabsichtigt, wünscht sich männlichen Nachwuchs durch eine standesamtliche Heirat mit einer gesunden Arierin, jungfräulich, jung, bescheiden, sparsame Hausfrau, gewöhnt an schwere Arbeit, breithüftig, flache Absätze, keine Ohrringe, möglichst ohne Eigentum.»

Münchner Neueste Nachrichten, 25. Juli 1940

Darlehen nach der Hochzeit

Schon kurz nach der Regierungsübernahme gingen die Nazis daran, Hitlers Familienwunschbild nach Kräften zu fördern.

Seit Sommer 1933 erhielten Jungverheiratete ein zinsloses Darlehen von durchschnittlich 600, höchstens 1000 Reichsmark – viel Geld, wenn man bedenkt, daß ein Industriearbeiter etwa 120 RM im Monat nach Hause brachte. Für jedes Kind wurde die Darlehensschuld um ein Viertel gekürzt. Wenn beide Elternteile zur Arbeit gingen, war das Darlehen mit drei Prozent monatlich zu tilgen, mit nur einem Prozent, wenn allein der Vater berufstätig war. Nach der Geburt des vierten Kindes wurde aus dem Darlehen ein Geschenk.

Bevor die Behörden die Ehestandsdarlehen auszahlten, erkundigten sie sich zum Beispiel bei Gesundheitsämtern, Schulärzten, den Wohlfahrtsstellen zur Betreuung Geisteskranker und natürlich in der Partei. Zwischen August 1933 und Januar 1937 bestanden etwa 700 000 Ehepaare, das sind etwa 25 Prozent der Hochzeitspaare in diesem Zeitraum, die Prüfungen ihrer wirtschaftlichen, politischen und eugenischen Eignung. Unter denen, deren Bewerbungen abgelehnt wurden, stuften die Behörden die Hälfte als körperlich oder geistig unzureichend ein, ein Drittel waren ungelernte Arbeiter.

Bis 1938 wurden eine Million Ehestandsdarlehen im Wert von 650 Millionen Reichsmark in Gutscheinen ausgegeben, die zum Kauf von Haushaltseinrichtungen und Möbeln berechtigten. Wegen des Andrangs wurde das Darlehen auf 500 Mark begrenzt.

Dennoch war der NS-Familienpolitik nur mäßiger Erfolg beschieden. Die Zahl der Junggesellen verringerte sich von 1933 bis 1939 nur um 70 000. Und längst nicht alle Ehepaare waren bereit, Ehestandsdarlehen durch reichen Kindersegen quasi abzuzahlen: In 31 Prozent der Ehen, die 1933 geschlossen worden waren und Ende

Eine Hochzeit nach der andern, das bringt Freude! Nicht nur für das junge Paar, sondern für das ganze Volk. Ja, man hat wieder Lebensmut.

Kinder bleiben nicht aus, Gott sei Dank! Seit es im Reiche wieder aufwärts geht, hat auch der Storch seine Konjunktur. *

1938 noch bestanden, waren Geburten Fehlanzeige, in 27 Prozent der Ehen wuchs nur ein Kind auf. Zum Vergleich: Von den Ehepaaren, die 1929 geheiratet hatten und Ende 1934 noch zusammen lebten, waren 26 Prozent kinderlos, 36 Prozent hatten lediglich ein Kind. Dieser Rückschlag macht erklärlich, warum ab Februar 1938 «Straf»-Steuersätze für Verheiratete galten, die mehr als fünf Jahre nach der Hochzeit kinderlos blieben.

Beamte als Vorbild

Ein besonderes Augenmerk richteten die NS-Familienplaner auf die Beamten. Staatssekretär Reinhardt sprach auf der Reichstagung des Reichbundes der Kinderreichen am 5. Juni 1937 aus, was der Staat von seinen Dienern erwartete:

«Es muß besonders von einem Volksgenossen, der für die Beamtenlaufbahn zugelassen worden ist, verlangt werden, daß er frühzeitig heiratet. Jeder Beamtenanwärter ist nach nationalsozialistischer Auffassung verpflichtet, allen anderen Volksgenossen auch in der Frage der frühzeitigen Familiengründung Vorbild zu sein. Es wird demnächst bestimmt werden, daß ohne Rücksicht auf das Dienstalter die Bezüge der höchsten Stufe gewährt werden, sobald der Beamte heiratet . . .

Zu der Verbesserung der Anfangsbezüge kommt das Weniger an Lohnsteuer. Ein junger Beamter, der unter solchen Umständen nicht bald nach bestandener Prüfung heiratet, ist nicht wert, in die Beamtenlaufbahn des nationalsozialistischen Staates endgültig übernommen zu werden. Es muß erstrebt werden, die Übertragung einer Planstelle an den jungen Beamten davon abhängig zu machen, daß er verheiratet ist.»

* Der Zeichner E. O. Plauen ist in doppeltem Sinne ein Opfer des Nationalsozialismus: 1933 Berufsverbot, 1944 Verhaftung durch die Gestapo und Freitod im Moabiter Gefängnis. Durch wen seine Zeichnungen in den Kontext politischer Propaganda der Nazis gerieten, ist heute schwer auszumachen.

Abtreibung ist «Sabotage»

Bereits ab Mai 1933 verschärften die Nationalsozialisten die gesetzlichen Bestimmungen, um die Zahl der Abtreibungen kräftig zu senken, jene «Sabotageakte gegen Deutschlands rassische Zukunft». Alle Kliniken für Geburtenkontrolle wurden geschlossen. Die Zahl der gerichtlichen Verfahren wegen Abtreibung stieg von 4539 im Jahre 1934 auf 6983 vier Jahre später. Ärzte, die eine Abtreibung vorgenommen hatten, wurden mit Gefängnis bis zu fünfzehn Jahren verurteilt.

Zum Vergleich: Im Berlin der Weimarer Republik hatten Personen, die eine Abtreibung vornahmen, mit Geldstrafen bis zu 40 Reichsmark zu rechnen. Die Zahl der Abtreibungen vor 1933 wurde auf durchschnittlich 600000 bis 800000 geschätzt.

Hilfswerk für Schwangere

Für die «förderungswürdige, erbtüchtige, hilfsbedürftige deutsche Familie» bot das Hilfswerk «Mutter und Kind» der Nationalsozialistischen Volkswohlfahrt (NSV) soziale Maßnahmen an. Neben der «seelischen Betreuung» der Schwangeren durch monatliche politische Plauderstunden im überschaubaren Familienkreis wurden Ernährungsbeihilfen, Plätze in Mütterheimen und Kindertagesstätten sowie Haushaltshilfen für kinderreiche Familien geboten, doch mangelte es an Hilfskräften, um das Fürsorgesystem überall zu realisieren. – Nach eigenen Angaben beriet das Hilfswerk 1935 600000 Schwangere.

Zur Familienpolitik der Nationalsozialisten gehörte auch der Versuch, die Säuglingssterblichkeit zu reduzieren. Einige Zahlen verdeutlichen die Ergebnisse.

Viel Geld für viele Kinder

Für die Beschaffung von Möbeln, Geräten, vor allem aber Kleidung und Nahrung erhielten große Familien mit kleinem Einkommen Geld aus der Staatskasse. Berechtigt waren Familien mit mindestens vier Kindern unter sechzehn Jahren, Ausnahmen wurden für Wit-

Säuglingssterblichkeit

Jahr	Totgeborene auf 1000 Lebend- und Totgeborene	Nichtehelich Lebendgeborene auf 1000 Lebendgeborene	Im ersten Lebensjahr gestorbene Säuglinge (ohne Totgeborene) auf 1000 Lebendgeborene	Im ersten Lebensjahr gestorbene nichteheliche Säuglinge (ohne Totgeborene) auf 1000 nichtehelich Lebendgeborene
1928	31,1	122	89	136
1929	30,6	121	96	144
1930	30,9	120	84	124
1931	30,2	118	83	123
1932	29,4	116	79	116
1933	28,5	107	76	114
1934	26,5	85	66	105
1935	25,5	78	68	111
1936	25,5	77	66	103
1937	24,0	77	64	103
1938	23,0	76	60	96
1939	22,7	77	60	98

a) Gebietsstand: 31. 12. 1937.
Quelle: Bevölkerung und Wirtschaft, S. 107 f, 113; Stat. Handbuch von Deutschland, S. 47 (Totgeborene 1939); Stat. Jb. f. d. Dt. Reich, 1941/42, S. 90 (Säuglingssterblichkeit 1939–40); S. 68 (Nichtehelich Lebendgeborene 1939).

Im ersten Lebensjahr Gestorbene (ohne Totgeborene) auf 1000 Lebendgeborene (ausgewählte Regionen)

Jahr	Provinz Ostpreußen		Stadt Berlin		Rheinprovinz	
	Ehelich	Unehelich	Ehelich	Unehelich	Ehelich	Unehelich
1913	171	304	120	194	121	242
1928	95	147	67	128	79	152
1931	92	138	63	102	75	140
1938	69	116	52	107	60	110

Quelle: Stat. Jb. f. d. Dt. Reich 1935, S. 56 (1913–31); 1939/40, S. 68 (1938).

wen, Geschiedene und ledige Mütter gemacht. Das Kindergeld betrug ab Juli 1936 monatlich 10 RM für das fünfte und jedes weitere Kind einer Arbeiter- oder Angestelltenfamilie, deren Einkommen unter 185 RM lag. Das war zwar weit mehr als der Durchschnittslohn eines Industriearbeiters, doch schloß diese Grenze etwa zwei Drittel der Angestellten aus. Ab Oktober 1937 kamen auch Selbständige in den Genuß einer staatlichen Spritze. Gleichzeitig wurde die Einkommensgrenze auf 200 RM angehoben. Schon ein halbes Jahr später im April 1938 kletterte sie noch einmal drastisch auf 650 RM. 10 RM Kindergeld wurde von diesem Zeitpunkt an bereits für das dritte und vierte Kind gewährt, für alle weiteren gab es sogar 20 RM, allerdings nicht für Selbständige. 1936 profitierten etwa 300 000 Haushalte von der Kindergeldregelung, zwei Jahre später bereits 2,8 Millionen Familien. Ab Oktober 1934 wurde der Steuerfreibetrag für jedes Kind im schulpflichtigen Alter etwa verdoppelt.

Zusätzlich zu der monatlichen Kindergeldzahlung konnten ab September 1935 große bedürftige Familien eine einmalige Beihilfe bis zu 100 RM pro Kind beantragen, bevorzugt ausgezahlt wurde das Geld jedoch an Familien mit mehr als fünf Kindern. Im März 1938 hatten 560 000 Familien diesen Zuschuß mit einer Durchschnittshöhe von 330 RM erhalten; bei drei Millionen Kindern ergibt das durchschnittlich 62 RM pro Kopf.

Erst Wohnungen, dann Panzer

Ein wichtiger Faktor jeder Bevölkerungspolitik ist der Wohnungsbau.

Hier wird deutlich, daß erst 1936 annähernd so viele Wohnungen neu erbaut wurden wie in der Weimarer Republik bis 1930 – trotz schwerer Wirtschaftskrise. Und 1939 wurde das Bauprogramm bereits um ein Drittel reduziert. Panzer statt Wohnungen – lautete Hitlers Entscheidung.

Neue Wohnungen

Jahr	Zugang Anzahl	davon durch Umbau %	Reinzugang[a] Anzahl
1928	330442	7,1	309762
1929	338802	6,8	317682
1930	330260	6,8	310971
1931	251701	8,1	233648
1932	159121	17,6	141265
1933	202113	34,3	178038
1934	319439	40,4	283995
1935[b]	260769	19,1	238045
1936[b]	327629	14,8	305856
1937[b]	335869	9,2	315698
1938[c]	302914	9,6	282788
1939[d]	220334	7,8	206229
1940[d]	131963	9,7	115622

a) Zugang abzüglich Abgang durch Zerstörung und Umbau.
b) Ohne Saargebiet.
c) Gebietsstand: 31. 12. 1937, ohne Saargebiet.
d) Gebietsstand: 31. 12. 1937, ohne Saargebiet, jedoch einschließlich Memelgebiet und der in Schlesien und Bayern eingegliederten sudetendeutschen Gebietsteile.

Quelle: Vierteljahrshefte zur Stat. d. Dt. Reiches 1939, H. 2; Stat. Jb. f. d. Dt. Reich 1936 ff.

Mütter werden «geadelt»

Alljährlich am 12. August, dem Geburtstag von Hitlers Mutter, wurden kinderreiche Mütter mit dem «Ehrenkreuz der deutschen Mutter» ausgezeichnet. Es wurde in drei Klassen verliehen: in Bronze für vier und mehr Kinder, in Silber für mehr als sechs und in Gold für über acht Kinder. Inschrift des Mutterkreuzes: «Das Kind adelt die Mutter». – In seiner Weihnachtsausgabe 1938 kündigte der *Völkische Beobachter* an, im kommenden August würden drei Millionen Frauen mit dem Mutterkreuz geehrt.

127

Komplett erst mit vier Kindern

Die *Frankfurter Zeitung* meldete am 6. Januar 1937:

«Wie die Reichskammer der bildenden Künste mitteilt, hat das Rassenpolitische Amt der NSDAP die Bemerkung gemacht, daß in der Öffentlichkeit vielfach Darstellungen aus unserer Zeit auftauchen, die bildlich oder sinnbildlich die deutsche Familie bedauerlicherweise noch mit einem oder zwei Kindern zeigten. Der Nationalsozialismus bekämpfe mit Nachdruck das Zwei-Kinder-System, da es das deutsche Volk unrettbar dem Untergang zuführe. Er vertrete die Forderung nach mindestens vier Kindern in jeder Familie, um die heutige Bevölkerungszahl wenigstens zu halten. Wo immer die künstlerischen Notwendigkeiten es erlauben – und das werde in der Mehrzahl der Fälle möglich sein –, solle auch der bildliche Künstler, besonders der Maler und Gebrauchsgraphiker, sich das Ziel setzen, im Rahmen der künstlerischen Gestaltungsmöglichkeiten wenigstens vier deutsche Kinder zu zeigen, wenn eine ‹Familie› dargestellt werde.»

Ohne Nachwuchs Nazi-Gegner

Gemischte Ehen zwischen «Ariern» und «Nichtariern» und Ehen, in denen ein Partner «politisch untragbar» war, galten nach Nazi-Ideologie als auflösungsreif. Unfruchtbarkeit wurde als Form der politischen Opposition gewertet.

1938 legte die Reichsregierung ein Scheidungsreformgesetz vor, nach dessen Bestimmungen als Scheidungsgründe anerkannt werden konnten: Ehebruch, Nachwuchsverweigerung, unehrenhaftes und unmoralisches Betragen, Geisteskrankheit, ernste ansteckende Krankheit, dreijährige Trennung der Ehepartner und Unfruchtbarkeit (außer in Fällen, in denen vorher ein Kind gezeugt oder adoptiert worden war).

Politik kontra Familie

Ein weiterer Scheidungsgrund konnte mangelndes parteipolitisches Engagement sein: Eine Berliner Zeitung schrieb 1937, es sei Pflicht eines Ehemannes, an nationalsozialistischen Aktivitäten teilzunehmen, und eine Ehefrau, die deswegen Schwierigkeiten mache, gebe Veranlassung zu einer Scheidung. Sie dürfe sich nicht beklagen, wenn ihr Ehemann zwei Abende wöchentlich der politischen Betätigung einräume, und auch die Sonntagvormittage gehörten nicht immer ausschließlich der Familie.

Aus einer späteren Gerichtsentscheidung:

«Die Beklagte kann ihre Weigerung (der Teilnahme an politischer Betätigung) nicht mit dem Hinweis entschuldigen, daß sie ein rechtes Familienleben, wie sie es sich bei Eingehen der Ehe vorgestellt habe, bislang nicht habe führen können, weil der Kläger während ihres Zusammenlebens im Interesse der Partei fast jeden Abend habe ausgehen müssen. In Zeiten politischer Hochspannung muß die deutsche Frau ebenso Opfer bringen wie die Ehefrau, deren Ehemann im jetzigen Weltkrieg dauernd im Feld steht.»[46]

Der Regelfall war aber, daß ständiger Einsatz für die Partei auch vom Ehemann als Belastung des Familienlebens empfunden wurde. Aus dem Lagebericht des Landrats von Bad Kreuznach über den Monat Dezember 1935:

«Die Tätigkeit der Partei und ihrer Gliederungen war im Berichtsmonat besonders rege. Neben den Sammlungen für das Winterhilfswerk, was als solches . . . allseitig als wirkliche Großtat bezeichnet wird, wurde gerne in den letzten Wochen auch nach Ansicht vieler Parteigenossen zuviel des Guten getan an politischen Versammlungen, Kameradschaftsabenden, Appells, Eltern- und Kulturabenden, an Nikolaus- und Weihnachtsfeiern der Partei, der SA, der HJ, der BDM, der NS-Frauenschaft, der Arbeitsfront, der NS-Kulturgemeinde und anderer Gliederungen. Fast gleichzeitig wurden besondere Werbeaktionen für die NSV, die NS-Frauenschaft, die Arbeitsfront usw. durchgeführt. Diese Überhäufung innerhalb weniger Wochen vor dem Weihnachtsfest wurde nicht nur von den Volksgenossen, deren Teilnahme man erwartete, sondern auch von denjenigen als lästig empfunden, die irgendwie aktiv an der Organisation solcher Veranstaltungen beteiligt waren.»[47]

Arbeit

«Zunächst einmal sollten wir froh sein, daß du wieder
Arbeit hast.»
(Aus: Kurt Halbritter: Adolf Hitlers Mein Kampf)

Nur zwei Mark für Rock und Hose

Lebensbedingungen der Arbeiter

Wie sah das Haushaltsbudget einer Arbeiterfamilie in den Anfangs-
jahren der Nazi-Herrschaft aus?

«Nach einer . . . Kalkulation des Wirtschaftsreferenten in der
Reichskanzlei hätte sich im Jahre 1934 der Lohn eines niedrig bezahlten städtischen Arbeiters (25 RM pro Woche) in einem Fünf-
Personen-Haushalt (Ehefrau und drei schulpflichtige Kinder) auf
folgende Posten verteilen müssen: Abzüge 11 Prozent, Nahrungsmittel 54 Prozent, Miete, Heizung und Beleuchtung 30 Prozent, Beklei-
dung 2 Prozent. Zur besonderen Verwendung blieben ganze 73
Pfennig übrig. Auffallend daran ist, daß Ausgaben für Verkehrsmit-
tel, Bildung, Erholung oder für die Rückzahlung von Darlehen in der
Aufstellung gar nicht vorkommen. Die bei diesem Einkommen mögliche Ernährung war außerordentlich karg bemessen: So entfielen
pro Woche auf fünf Personen nicht mehr als zwei Pfund Fett und
zweieinhalb Pfund Fleisch. Eier, Käse, Obst und Gemüse werden in
der Statistik gar nicht aufgeführt. Wie sich fünf Personen von zwei
RM im Monat bekleiden sollten, versuchte der Referent erst gar nicht
anzudeuten.»[48]

Ein ähnliches Bild bot sich 1936: Familien mit einem Durch-
schnittseinkommen von 32 RM pro Woche hatten nur 1,5 Prozent
des Einkommens für Getränke übrig, 3,1 Prozent für Bildung, Unter-
haltung und Erholung. Fast alle Familien dieser Einkommensgruppe
waren hin und wieder auf öffentliche und private Unterstützungs-
quellen angewiesen. (Es ist nicht möglich, die genaue Zahl der Arbei-
terhaushalte anzugeben, die mit 32 RM oder weniger auskommen
mußten, sie war aber nicht gering.)

Zu dieser Schicht der Notleidenden gehörten die Arbeitslosen, im
Herbst 1936 noch immer über eine Million Personen, zu denen im
Winter weitere 800 000 beschäftigungslose Saisonarbeiter hinzuka-
men. Die Unterstützungssätze, die im Durchschnitt 65 Prozent des
letzten Verdienstes betrugen, waren nicht den erhöhten Lebenshaltungskosten angepaßt worden.

Kaum besser waren die Lebensbedingungen der Kurzarbeiter:

«Die verschiedenen Beihilfen der Regierung kamen nur den Arbeitern zugute, die *regelmäßig* weniger als 36 bzw. 40 Wochenstun-
den arbeiteten. Das betraf im Durchschnitt der Jahre 1935/36 immer
noch rund 100 000 Personen. In den meisten Gewerbezweigen reich-

ten die Lohnsätze nur bei einer vollen Arbeitswoche (über 45 Arbeitsstunden) zu einer gerade erträglichen Lebenshaltung aus. In den Jahren 1934 bis 1936 sank jedoch in vielen Berufsgruppen die Arbeitszeit wiederholt unter diese Grenze, ohne daß den Betroffenen dafür eine Kurzarbeiterunterstützung gewährt worden wäre. Absatz- und Rohstoffmangel waren die Hauptursachen für diese negative Entwicklung; der Kohlenbergbau, die eisen- und metallverarbeitende Industrie waren neben der Textilbranche die am meisten benachteiligten Gewerbezweige. Weiterhin wäre noch die Bauwirtschaft zu nennen, in der bis 1937/38 der wetterbedingte Arbeitsausfall ganz zu Lasten der Arbeiter ging. Damit waren Ende 1935 insgesamt mindestens weitere 200000 Personen erheblich unterbeschäftigt und entlohnt.»[49]

Über die Reaktion der Arbeiterschaft berichtete die Polizeidirektion Augsburg im September 1934:

«... Die gedrückte Stimmung, die durch die Einführung der 36-Stunden-Woche und die damit verbundenen Lohnkürzung unter den in der Textilindustrie Beschäftigten entstand, hält an. Auch die Arbeitnehmer anderer Industriezweige klagen viel über die niedrigen Löhne. Die Hoffnung auf eine Besserung der Arbeitszeit- und Verdienstverhältnisse ist bei den Betroffenen gering.»[50]

Im Oktober heißt es im Lagebericht der Polizei:

«Unter den in der Textilindustrie Beschäftigten ist die Stimmung infolge der eingeführten Kurzarbeit weiterhin gedrückt. Besonders schlecht ist sie unter den etwa 2500 Arbeitern der Augsburger Kammgarnspinnerei. Die genannte Fabrik blieb von den Krisen früherer Jahre vollkommen unberührt, mußte aber infolge der Faserstoffverordnung in letzter Zeit ebenfalls zur 36-Stunden-Woche und teilweise sogar nur 24-Stunden-Woche übergehen. Die Leute befürchten, daß die Arbeitszeit noch mehr verkürzt wird und der kommende Winter schwere, vielleicht unüberwindliche Krisen bringt ...»[51]

Mit dem Ansteigen der Konjunktur konzentrierten sich Armut und Arbeitslosigkeit zunehmend in bestimmten Gebieten. In Sachsen zum Beispiel verlangsamte sich der Rückgang der Arbeitslosigkeit nach dem Herbst 1934 entscheidend. Das lag daran, daß diese Region stärker von der Verbrauchsgüterindustrie abhängig war, die nicht vom Rüstungsboom profitierte.

Anders ist dagegen die Arbeitslosigkeit in Schlesien, Hessen und im Rheinland zu erklären. Hier spielte die Grenzlage eine wichtige Rolle. Besonders kritisch waren die Probleme im östlichen Grenzgebiet: Schlechte Absatz- und Transportverhältnisse, ständige Abwanderung von Arbeitskräften und geringe Leistungsfähigkeit der Industrie waren seit langem Kennzeichen dieser Region. Selbst die forcierte Aufrüstung hat das «Ost-West-Gefälle» eher verstärkt als verringert, da die neuen Rüstungsindustrien, zum Teil aus wehrpolitischen Gründen, vorwiegend in grenzfernen Gebieten aufgebaut wurden.

«So lagen 1935 die durchschnittlichen Verdienste in Hamburg fast doppelt so hoch wie in der Grenzmark Posen/Ostpreußen, die Löhne im schlesischen Bergbau um gut 20 Prozent niedriger als an der Ruhr ... Bei den Bergarbeitern traf man zudem noch häufig auf unglaublich primitive Arbeits- und Lebensbedingungen, die zu verbessern die Behörden selten willens und imstande waren ... Wohnungsnot und unsichere Lebensmittelversorgung prägten den Alltag im Osten wesentlich stärker als im übrigen Deutschland.»[52]

Arbeiter werden Mangelware

Mitte 1936 waren die Zeiten vorbei, in denen die Arbeitslosen um jeden frei werdenden Arbeitsplatz kämpften und dem Arbeiter schlecht entlohnte Arbeit selbst in einem fremden Beruf als Glücksfall erscheinen mußte. Die Rüstungskonjunktur hatte die Arbeitsplätze vermehrt. Der Beschäftigungsstand in der gesamten Industrie war beinahe wieder so hoch wie 1929.

Über die «Entwicklung der tatsächlichen Arbeitsverdienste im Jahre 1936» gibt ein «streng vertraulicher» Bericht des Statistischen Reichsamts Auskunft:

«Besonders im Laufe des Jahres 1936 sind wesentliche Verschiebungen in der Verdienstlage der deutschen Arbeiterschaft eingetreten. Während in den vergangenen Jahren die in den Verbrauchsgüterindustrien Beschäftigten im Gegensatz zu den in den Produktionsgüterindustrien tätigen Arbeitern ihre Einkommen kaum verbessern konnten, ja sogar oft Rückgänge ihrer Verdienste in Kauf nehmen mußten, ist im Jahre 1936 hierin ein Wandel eingetreten. In die wirtschaftliche Belebung der letzten Jahre, die sich zunächst nur auf die für die Herstellung von Produktionsgütern tätigen Gewerbezweige erstreckte, ist nunmehr auch die dem Verbrauch dienende Industrie wenigstens zum Teil eingeschaltet worden. Die erhöhten Einkommen, die die Arbeiter in den Produktionsgüterindustrien in den letzten zwei Jahren bereits beziehen, strömen mehr und mehr dem

Beschäftigte Arbeiter[53] 1936 = 100

Zeit	Gesamte Industrie	Produktionsgüterindustrien	Investitionsgüterindustrien ohne ausgeprägte Saisonbewegung	Verbrauchsgüterindustrien	Bergbau	Eisen- und Metallgewinnung	Stahl- und Eisenbau	Maschinenbau	Fahrzeugbau	Werkstoffverfeinerung und verwandte Eisenindustriezweige	Eisen-, Stahl- und Blechwarenindustrie	Metallwarenindustrie	Elektroindustrie
1929	101,8	95,7	94,8	111,2	136,9	90,1	—	84,4	—	—	—	—	107,9
1932	60,5	48,8	45,2	78,5	84,3	47,8	27,2	44,3	31,5	52,5	62,1	66,2	55,1
1933	67,0	56,5	50,7	82,7	86,7	55,0	34,3	49,6	48,5	60,8	69,3	69,2	60,0
1934	84,6	78,2	71,2	94,2	92,1	74,4	56,6	70,4	74,9	78,9	84,4	81,2	82,7
1935	92,4	89,8	87,3	96,5	95,5	88,8	81,1	87,4	91,0	90,3	94,0	90,6	92,8
1936	100,0	100,0	100,0	100,0	100,0	100,0	100,0	100,0	100,0	100,0	100,0	100,0	100,0
1937	108,2	108,6	112,4	106,7	112,3	109,2	112,3	115,0	108,7	109,5	110,1	108,6	117,5
1938	115,9	119,0	123,5	109,1	119,8	117,7	127,7	128,0	120,0	119,7	115,4	114,1	131,6
1938 Januar	107,0	106,2	117,3	107,0	118,9	112,1	116,6	121,1	112,5	114,0	113,2	112,2	124,6
Juni	115,6	118,7	122,6	108,9	120,7	116,9	127,3	127,2	119,9	120,1	115,6	113,6	130,6
Nov.	121,6	126,9	129,7	112,1	119,5	123,4	135,9	134,4	127,1	123,5	117,7	117,3	138,9
1939 Januar	118,4	120,7	132,1	112,6	120,4	125,2	139,2	137,4	129,3	124,6	118,3	117,0	139,5
Juni	125,1	130,3	137,9	115,7	121,1	128,1	149,3	145,1	135,1	126,2	118,0	119,1	145,3

Zeit	Feinmechanik und Optik	Industrie der Steine und Erden	Bauindustrie	Sägeindustrie	Holzverarbeitende Industrie	Lederindustrie	Chemische Industrie	Kautschukindustrie	Keramische Industrie	Glasindustrie	Papiererzeugende Industrie	Papierverarbeitende Industrie	Vervielfältigungsgewerbe	Textilindustrie	Bekleidungsindustrie	Nahrungs- und Genußmittelindustrie
1929	–	95,1	77,1	97,4	118,0	122,1	–	139,8	–	–	–	118,8	–	107,8	116,8	99,9
1932	–	41,0	19,2	53,1	65,7	74,2	–	81,3	–	–	83,5	77,3	90,3	83,2	78,0	85,0
1933	58,0	61,0	30,8	62,9	69,9	76,6	–	87,5	–	75,0	86,1	81,4	94,0	87,6	83,6	90,3
1934	70,9	83,1	70,0	88,5	90,0	89,2	86,5	96,8	91,9	86,7	93,4	87,8	99,2	99,4	97,1	97,6
1935	86,4	86,7	86,0	100,3	94,2	92,6	94,6	92,9	96,1	96,2	97,7	94,6	99,3	100,1	96,9	100,4
1936	100,0	100,0	100,0	100,0	100,0	100,0	100,0	100,0	100,0	100,0	100,0	100,0	100,0	100,0	100,0	100,0
1937	117,3	109,0	97,6	109,4	111,7	110,0	109,6	113,6	112,2	109,4	106,3	108,9	101,4	103,9	106,9	102,8
1938	126,5	109,7	120,9	112,6	114,2	113,9	117,9	122,9	115,8	110,7	109,5	113,0	104,7	106,0	108,8	103,5
1938 Januar	123,6	99,9	67,9	108,1	113,8	110,2	113,9	118,8	116,7	112,7	112,7	112,6	101,6	104,3	106,2	102,3
Juni	126,4	115,6	116,9	116,8	113,9	112,2	118,6	123,5	116,5	111,5	111,6	109,5	105,0	106,3	107,2	102,8
Nov.	128,5	107,6	153,1	109,7	115,8	119,2	120,5	126,1	114,8	108,9	107,3	119,7	108,8	106,9	111,3	107,1
1939 Januar	130,5	102,2	115,5	111,0	117,1	117,5	121,3	129,9	114,3	108,9	108,1	116,1	106,0	107,2	113,3	102,4
Juni	133,1	114,1	147,8	114,7	118,8	121,4	130,9	129,9	112,4	110,0	109,0	118,8	108,6	105,9	121,2	105,2

Verbrauchsgütermarkt zu und rufen hier im Rahmen der durch die Rohstoffversorgung gezogenen Grenzen eine steigende Erzeugung mit zugleich wachsenden Verdiensten der daran beteiligten Arbeiter hervor.»[54]

Die drei Jahre nach der Verkündung des zweiten Vierjahresplans im September 1936 standen im Zeichen noch weiter gesteigerter Aufrüstung und Kriegsvorbereitung. Arbeitskräftemangel war die unausbleibliche Folge. Bis 1938 hatte er die gesamte Wirtschaft erfaßt. Die Arbeiterschaft nutzte die einzige Position aus, die das Regime ihr geschaffen hatte und auch lassen mußte – die einer Mangelware. In ihren Berichten für die Monate Januar und Februar 1938 beklagten sich die Reichstreuhänder der Arbeit:

«Die Gefolgschaftsmitglieder stellen in zunehmendem Maße und mit wachsender Entschiedenheit übertarifliche Forderungen, von deren Bewilligung sie die Aufnahme der Arbeit abhängig machen. Diese Erscheinung hat von den Facharbeitern und technischen Angestellten bereits auf andere Arbeitergruppen, auch Tiefbauarbeiter, übergegriffen. So erklärten beim Bau des Stichkanals für die Hermann-Göring-Werke Arbeiter aus Schlesien, daß sie für einen Lohn von 0,52 RM nicht arbeiten könnten. Ein Viertel der Arbeiter hat die Baustelle wieder verlassen. In Gandersheim verlangte die gesamte Gefolgschaft (140 Mann) eines Baubetriebes Lohnerhöhungen von zunächst 0,10 RM und drohte mit Arbeitsniederlegung. In einem anderen Falle verlangten Schachtmeister, die seit Jahren bei derselben Firma tätig sind, eine Gehaltserhöhung von 40 bis 60 Prozent (400 RM im Monat) zuzüglich einer täglichen Auslösung von 4 bis 5 RM . . .

Der Widerstand der Betriebe gegen die Lohnforderungen erlahmt naturgemäß da, wo bereits Nachbarfirmen zu Locklöhnen übergegangen sind. Es ist vorgekommen, daß sich gewisse Unternehmer gegenseitig die Arbeiter durch Locklöhne ‹wegsteigern›. Die Lohnforderungen werden größtenteils ausdrücklich mit dem Hinweis auf erhöhte Löhne in den Nachbarbetrieben gestellt. Eine Braunschweiger Firma, die bereits an Stelle des Tariflohns von 59 Rpf. einen Lohn von 85 Rpf. zahlt, hat mitgeteilt, daß ihr täglich fünf bis sieben Arbeiter fortliefen, um zu den Baustellen der Volkskraftwagenfabrik überzugehen. Je länger der gegenwärtige Zustand dauert, um so mehr sinkt der natürliche Widerstand der Betriebsführer; im gleichen Verhältnis schwinden jedoch auch bei der Gefolgschaft die Hemmungen für einen rücksichtslosen und eigennützigen Druck auf die Unternehmer.»[55]

Einen anderen Vorfall schilderte der Regierungspräsident von Ober- und Mittelfranken:

«Die Firma Hoch-Tief AG in Nürnberg stellte im Herbst 1937 bzw. Februar 1938 dreißig Stukkateure ein und hielt sie auch in der ungünstigen Bauzeit durch, um den Fertigstellungstermin sicher einhalten zu können. Nunmehr sind von diesen Arbeitern 22 abgewandert, zum Teil leisten sie absichtlich so wenig, daß sie von der Firma freiwillig entlassen werden mußten. Fünf weitere Arbeiter arbeiteten ebenfalls so schlecht, daß sie unter normalen Umständen hätten entlassen werden müssen. Die Firma sah davon ab. Daraufhin suchten die Leute ihre Entlassung dadurch zu erreichen, daß sie blaumachten und betrunken zur Baustelle kamen. Als auch jetzt ihre Entlassung noch nicht erfolgte, erklärten sie dem Bauführer: ‹Wir arbeiten nicht, wir streiken.› Es kam so weit, daß die fünf Mann in Haft genommen werden mußten. Die Firma ist nun nicht in der Lage, die Bauten rechtzeitig fertigzustellen . . .»[56]

Zutreffend erkannte die Wehrwirtschafts-Inspektion VII/München:

«. . . Da es den Arbeitern heute nicht ohne weiteres erlaubt ist, ihre Arbeitsstelle zu verlassen und sich einen anderen Arbeitsplatz zu suchen, selbst dann, wenn sie bei anderen Firmen einen höheren Lohn bekommen könnten, so erzwingen sie durch ihr Verhalten während der Arbeit vom Arbeitgeber ihre Entlassung und werden schon am Tage darauf, ja vielleicht nur ein paar Stunden später, vom neuen Arbeitgeber mit offenen Armen aufgenommen . . .»[57]

Wieviel hatte ein Arbeiter in der Lohntüte?

«Zwischen Dezember 1935 . . . und Juni 1939 stieg der durchschnittliche Stundenlohn in der Industrie um 10,9 Prozent an; etwas über diesem Durchschnitt lagen die Steigerungen im Produktionsgütersektor (11,3 Prozent) und für gelernte und angelernte Arbeiter (11,7 Prozent), etwas darunter die für alle anderen Arbeitergruppen. Ein Teil dieser Verdiensterhöhung war der verlängerten Arbeitszeit zuzuschreiben, denn um den durchschnittlichen Stundenverdienst zu erreichen, wurden die Überstundenzuschläge auf die gesamte Arbeitszeit verteilt.

Gerade diese Tatsache kommt bei einer Betrachtung der Wochenlöhne stärker zum Ausdruck. Diese stiegen im selben Zeitraum im Gesamtdurchschnitt um 17,4 Prozent an . . .

Im Durchschnitt enthielt die Lohntüte eines deutschen Arbeiters im Jahre 1939 5,80 RM mehr als 1936, die einer Arbeiterin 2,50 RM mehr. Allein hierdurch erhöhte sich die Konsumkraft der arbeitenden Bevölkerung (Selbständige und ähnliche ausgenommen) um rund 85 Millionen RM pro Woche; sie erhöhte sich um weitere 115 bis 120 Millionen RM pro Woche als Folge der steigenden Beschäftigtenzahlen.»[58]

Mehr Einkommen bedeutet nicht automatisch mehr Wohlstand:

Die regierungsamtliche Feststellung, die Lebenshaltungskosten hätten sich zwischen 1936 und 1939 um nur 1,4 Prozent verteuert, ist irreführend.

Die tatsächliche Verteuerung der Lebenshaltungskosten von 1936 bis 1939 kann auf etwa 4 Prozent geschätzt werden.

Dennoch standen die meisten Deutschen, auch die Industriearbeiter, 1939 materiell nicht schlechter da, als Ende der zwanziger Jahre.

«Am Anstieg der Konsumausgaben hatte zunächst die einmalige Prosperität fast aller Schichten des Bürgertums ihren Anteil. Der radikale Differenzierungsprozeß in der Lebenshaltung einzelner Berufsgruppen innerhalb der Arbeiterklasse, der die Entwicklung bis 1936 so stark kennzeichnete, wurde in den unmittelbaren Vorkriegsjahren allenfalls aufgehalten, aber bestimmt nicht rückgängig gemacht: Der reale Wochenverdienst zahlreicher Arbeiter und Arbeiterinnen in den Konsumgüterindustrien lag wahrscheinlich noch 1939 erheblich unter dem Stand von 1929. In allen Branchen der Eisen- und Metallindustrie jedoch, in der Bauwirtschaft, im Bergbau und in mehreren kleineren Zweigen der gewerblichen Wirtschaft hatte der durchschnittliche reale Wochenverdienst stark angezogen und vor Kriegsbeginn den bisher jeweils höchsten Stand deutlich übertroffen – wobei die Verlängerung der Arbeitszeit um drei bis vier Stunden pro Woche freilich von großer Bedeutung war.»[59]

«Was Nahrungs- und Genußmittel angeht, so lag 1938/39 der Pro-Kopf-Verbrauch der Bevölkerung fast ausnahmslos höher als im Jahre 1930. Allein beim Konsum von Geflügel, Eiern, Trinkmilch, Margarine, Südfrüchten und Bier war der Stand von 1930 nicht ganz wieder erreicht. Der Tabak- und Alkoholverbrauch (Weine und Spirituosen) war wieder steil angestiegen.

Dieser Eindruck einer aufblühenden Konsumwirtschaft wird durch die Umsatzstatistik erhärtet. In nahezu jeder Branche des Groß- und Einzelhandels lagen die Umsätze 1938/39 erheblich über den Stand von 1928/30. Der Gesamtdurchschnitt wurde im Einzelhandel durch die Knappheit an Molkereiprodukten und den Preisstopp für die Lebensmittel etwas herabgedrückt, aber Geschäfte, die Hausrat und Wohnbedarf, Süßwaren, Schuhe, Schreibwaren und Büromaschinen verkauften, hatten einen sehr viel höheren Umsatz als vor der Weltwirtschaftskrise. Die Verhältnisse im Großhandel (Wareneinkaufsgenossenschaften) boten ein ähnliches Bild . . . Es waren vor allem die Artikel des elastischen Bedarfs, bei denen der Umsatz in den Vorkriegsjahren steil anstieg.»[60]

Sieht man von der Zerschlagung der Gewerkschaften und von den sozialpolitischen Auswirkungen des Terrors ab, so versuchte die Regierung bis Mitte 1938 nur, durch Einschränkung der Freizügigkeit die Steigerung der Löhne zu verlangsamen. Ohne Erfolg. Deshalb wurde am 25. Juni 1938 eine «Verordnung über die Lohngestaltung» erlassen, die eine «Beeinträchtigung der Wehrhaftmachung . . . durch die Entwicklung der Löhne» verhindern sollte. Mit welchem Ergebnis?

Auszug aus den Sozialberichten der Reichstreuhänder der Arbeit für 1938:

«Die Überwachung der Betriebsordnungen durch die Reichstreuhänder der Arbeit hat erst jetzt gezeigt, in welchem Umfang viele Betriebe dem Lohnstopp durch Verbesserung der sonstigen Arbeitsbedingungen, vor allen Dingen durch Gewährung von Sozialzulagen auszuweichen versuchen. So werden ‹Leistungszulagen› gewährt, ohne daß eine entsprechende Leistung erkennbar wäre. Durch Akkordänderungen, Höhergruppierungen, Wege- und Trennungsentschädigungen, verbilligtes Essen und Mietzuschüsse sollen die Gefolgschaftsmitglieder an den Betrieb gebunden und neue geworben werden . . . Wie weit einzelne Firmen mit ihren Sonderzuwendungen gehen, zeigt zum Beispiel das Verhalten einer Firma in Naumburg. Sie hat für Arbeiten an der Reichsautobahn nachträglich einen Betrag von mehreren Hunderttausend RM bewilligt erhalten, um ihren angeblich drohenden Zusammenbruch zu verhüten. Dieselbe Firma hat aber fast gleichzeitig 100 KdF-Wagen als Geschenke für ihre Gefolgschaftsmitglieder bestellt . . .

Eine besondere Gelegenheit, dem Lohnstopp auszuweichen, bot im Berichtsvierteljahr das Weihnachtsfest. Gegenüber dem Vorjahr sind die Weihnachtszuwendungen erheblich erhöht . . . So gewährte das Kabelwerk Vacha/Rhön 150 bis 200 Stundenlöhne für die Gefolgschaft. Ein Aluminiumwerk zahlte pro Kopf 137 RM aus; alkoholische Ausschreitungen waren die Folge.»[61]

Insgesamt waren die Lohnerhöhungen in den ersten zwölf Monaten nach Inkrafttreten der Verordnung noch größer als in den vorangegangenen: Im Durchschnitt stieg der Stundenlohn in der Industrie um rund 5 Prozent, der Wochenlohn um fast 9 Prozent (Juni 1930 bis Juni 1939).

Die «Kriegswirtschaftsverordnung» vom 4. September 1939 sollte endlich die Zügel straffer anziehen: Sie sah vor, daß die «Arbeitsverdienste sofort den durch den Krieg bedingten Verhältnissen angepaßt» werden. «Zuschläge für Mehrarbeit, Sonntags-, Feiertags- und Nachtarbeit sind nicht mehr zu zahlen.»

Aber trotz Kriegszustand und fünfzigprozentiger Erhöhung der Einkommensteuer für das Bürgertum war die Mehrheit der Arbeiterschaft nicht bereit, sich auch nur mit einem beschränkten Lohnabbau und der Streichung von Überstundenzuschlägen abzufinden.

In einem geheimen Lagebericht des Führungsstabs Wirtschaft in Wiesbaden vom 10. November 1939 heißt es:

«Der Wegfall von Sonntags- und Überstundenzuschlägen führte in Einzelfällen zur Verweigerung von Sonntagsarbeit und zu einer gewissen Arbeitsunlust. Die Aufhebung der Nacht- und Sonntagszuschläge im Bergbau, bei Versorgungsbetrieben und im Nahverkehrsgewerbe ruft Verstimmungen hervor, da die Stundenlöhne im Hinblick auf die regelmäßigen Nacht- und Sonntagsarbeiten bisher unter der normalen Grenze lagen.»[62]

Mitte November war alles wieder beim alten: Lohnstopp mit Lohnabbau gab es nur in einzelnen Fällen überdurchschnittlich hoher Verdienste, alle Zuschläge (außer für die neunte und zehnte Arbeitsstunde) wurde wieder eingeführt.

Erst ab 1941 wurden die Vorteile, die die Arbeiter, die nicht als Soldaten eingezogen waren, auch weiterhin durch die Ausnutzung ihrer starken Position auf dem Arbeitsmarkt errangen, in zunehmendem Maße durch die Wertminderung der Reallöhne wieder aufgehoben. Konsumgüter und Lebensmittel wurden immer knapper, so daß die Lohnerhöhungen vielfach für Ergänzungskäufe auf dem schwarzen Markt verwendet wurden.

Wer nicht beitritt, fliegt

Die Deutsche Arbeitsfront

2. Mai 1933, zehn Uhr vormittags: SA- und SS-Hilfspolizei bei einer neuen Gleichschaltungsaktion. Im ganzen Reich besetzten sie die Häuser der Gewerkschaften, beschlagnahmten ihr Vermögen und verhafteten ihre Führer. Das war das Ende der freien Gewerkschaften.

An ihre Stelle trat etwas völlig Nebuloses: die «Deutsche Arbeitsfront» (DAF). Robert Ley, ihr Reichsleiter, gestand rückblickend: «Es ist nicht so gewesen, daß wir ein fertiges Programm hatten, das wir hervorholen konnten und an Hand dieses Programms die Arbeitsfront aufbauten, sondern ich bekam den Auftrag des Führers, die Gewerkschaften zu übernehmen, und dann mußte ich weiterschauen, was ich daraus machte.»

Anfangs hoffte Ley, gewerkschaftliche Funktionen fortführen zu können. Tatsächlich hätte die neue Mammutorganisation (1933: sieben bis acht Millionen Mitglieder, 1934: vierzehn Millionen) eine machtvolle Vertretung der Arbeiterinteressen sein können. Aber die Ambitionen der DAF-Führung wurden zunichte gemacht. Den Auftrag, «die Bedingungen für den Abschluß von Arbeitsverträgen» zu regeln, bekamen die «Treuhänder der Arbeit».

Die Arbeit steht heute wieder hoch in Ehren. Für Gerechtigkeit und Lohnschutz sorgt der Staat durch den „Treuhänder der Arbeit".

Und die DAF? Ley hatte sich dazu bequemen müssen, gemeinsam mit Vertretern von Staat und Industrie einen «Aufruf an alle Deutschen» zu unterzeichnen (27. November 1933):

«Nach dem Willen unseres Führers Adolf Hitler ist die Deutsche Arbeitsfront nicht die Stätte, wo die materiellen Fragen des täglichen Arbeitslebens entschieden ... werden ... Das hohe Ziel der Arbeitsfront ist die Erziehung aller im Arbeitsleben stehenden Deutschen zum nationalsozialistischen Staat und zur nationalsozialistischen Gesinnung.»

Was Wunder, daß die Unternehmer das Schreckgespenst einer schlagkräftigen NS-Gewerkschaft nun nicht mehr fürchteten und der DAF beitraten. Überhaupt, die Unternehmer konnten zufrieden sein. Nicht nur mit der Verwässerung der DAF, auch mit der Neugestaltung der innerbetrieblichen Machtverhältnisse. Aus dem «Gesetz zur Ordnung der nationalen Arbeit» (AOG) vom 20. Januar 1934:

«Im Betrieb arbeiten die Unternehmer als Führer des Betriebs, die Angestellten und Arbeiter als Gefolgschaft gemeinsam zur Förderung des Betriebszwecks und zum gemeinen Nutzen von Volk und Staat.

Der Führer des Betriebs entscheidet der Gefolgschaft gegenüber in allen betrieblichen Angelegenheiten, soweit sie durch dieses Gesetz geregelt werden.»

In Erinnerung an den früheren Betriebsrat sah das AOG einen «Vertrauensrat» vor:

«Dem Führer des Betriebs treten aus der Gefolgschaft Vertrauensmänner beratend zur Seite. Sie bilden mit ihm und unter seiner Leitung den Vertrauensrat des Betriebs.

. . . Der Vertrauensrat hat die Aufgabe, alle Maßnahmen zu beraten, die der Verbesserung der Arbeitsleistung, der Gestaltung und Durchführung der allgemeinen Arbeitsbedingungen . . . der Durchführung und Verbesserung des Betriebsschutzes, der Stärkung der Verbundenheit aller Betriebsangehörigen untereinander und mit dem Betrieb und dem aller Glieder der Gemeinschaft dienen.»

Die Vertrauensmänner wurden vom Betriebsführer und dem DAF-Obmann aufgestellt und sollten dann von der «Gefolgschaft» in «Wahlen» bestätigt werden. Bei Ablehnung der Vorschlagsliste sollten die Treuhänder der Arbeit den Vertrauensrat von sich aus einsetzen können.

Im April 1934 wurde zum erstenmal gewählt. Das Ergebnis sprach Bände: Rund 60 Prozent der Wahlberechtigten blieben den Wahlurnen fern. Wie viele der übrigen 40 Prozent die vorgelegten Vertrauensmänner-Listen ablehnten, wurde nie bekannt.

Die Wahlen im nächsten Jahr wurden besser vorbereitet. Aus dem Lagebericht der Polizeidirektion Augsburg, 1. Juni 1935:

«Wahlbeteiligung und Wahlergebnis können in den meisten Betrieben als sehr gut bezeichnet werden. In den Bayerischen Flugzeugwerken haben von den 1871 Stimmberechtigten 93,1 Prozent von ihrem Wahlrecht Gebrauch gemacht. Dabei entfielen auf die aufgestellten Vertrauensmänner etwa 92 Prozent und auf die Ersatzleute ungefähr 91 Prozent der abgegebenen Stimmen. Verhältnismäßig viel ungültige Stimmen wurden in der Spinnerei und Weberei am Stadtbach abgegeben. Am schlechtesten wählten die Angestellten der städtischen Sparkasse hier, wo sämtliche aufgestellten Vertrauensmänner abgelehnt wurden. In der Mechanischen Baumwollspinnerei und Weberei Augsburg erhielt der Betriebszellenobmann 45,75 Prozent der abgegebenen Stimmen. Nachdem im Benehmen mit dem Treuhänder der Arbeit diejenigen Stimmzettel, die mit

Haken, Malen, Kreuzen usw. versehen wurden und daher für ungültig erklärt worden waren, für gültig erklärt wurden, kann der Betriebszellenobmann etwa 60,5 Prozent der abgegebenen Stimmen auf sich vereinigen. Mit dieser Änderung des zuerst berechneten Wahlergebnisses, das im Betrieb bereits bekanntgegeben worden war, ist ein großer Teil der dort tätigen Handarbeiter und -arbeiterinnen nicht einverstanden. Viele bezeichnen die nachträgliche Gültigkeitserklärung solcher Stimmzettel als Wahlfälschung.»[63]

Offizielles Gesamtergebnis: neunzigprozentige Wahlbeteiligung, 83 Prozent der abgegebenen Stimmen für die gemeinsamen Listen der Betriebsführer und Betriebsobmänner. Ein parteiinterner Berichterstatter befürchtete, diese Zahlen würden «der gesamten Arbeiterschaft geradezu lächerlich» erscheinen. Hitler machte sich diese Auffassung zu eigen. Auf seine ausdrückliche Anordnung hin wurde die Durchführung der Wahlen im folgenden Jahr kurz vor dem geplanten Termin untersagt. Sie fanden nie wieder statt: Durch Gesetz wurde die Amtszeit der Vertrauensmänner zunächst jeweils für ein Jahr und 1938 schließlich auf unbegrenzte Zeit verlängert.

Die Reichstreuhänder berichteten im März 1937 über die Reaktion der Arbeiter:

«Gesetz über die Verlängerung der Amtsdauer der Vertrauensräte hat enttäuscht. Man hatte gehofft, daß bei einer Neubildung der Vertrauensräte ungeeignete Vertrauensmänner ausscheiden würden. Viele Anträge auf Abberufung bzw. Umbildung der Vertrauensräte.»[64]

Abgesehen von der Rolle des Obmanns bei der Aufstellung der Liste für die Vertrauensrätewahlen hatte die DAF im Betrieb keine juristisch verankerte Funktion. Sollte es im Vertrauensrat zu schweren Differenzen kommen, war der Rat des Treuhänders, nicht aber der der DAF einzuholen. Warum sollten die Arbeiter da der DAF beitreten?

Die DAF-Kreiswaltung Rodung (Gau Bayrische Ostmark) mußte 1936 eingestehen, daß ihre Werbeaktionen weitgehend erfolglos geblieben waren:

«... Wir haben uns schon des öfteren mit den Betriebsführern dieser verschiedenartigen Betriebe in Verbindung gesetzt und versucht, daß wir die gesamte Belegschaft für die DAF gewinnen könnten, ist uns aber bis heute noch nicht ganz gelungen, und zwar insofern, daß die Zusage und Zustimmung einesteils vom Betriebsführer selbst, andernteils aber viel von anderen Volksgenossen, die nicht organisiert und doch in Arbeit stehen, ferngehalten und diesen zum Eintritt in die Deutsche Arbeitsfront durch schlechte Kameraden abgeredet wird . . . In zwei Großbetrieben in Roßbach und einer Zweigniederlage in Zell bei Roßbach stehen noch mindestens an die siebzig Arbeiter in den Betrieben voll beschäftigt, von denen aber nicht ein einziger Mitglied der Deutschen Arbeitsfront ist. Wir haben alle möglichen Versuche mit Betriebsführern und Gefolgschaft, sowie Vertrauensmännern und Aufsehern gemacht, nützt aber sehr wenig, da diese Arbeiter zum größten Teil noch nicht dem dienen und angehören, was eigentlich eines jeden Volksgenossen Pflicht und Schuldigkeit wäre, nämlich unserem Führer Adolf Hitler und letzten Endes der gesamten deutschen Nation. Es wäre gut, wenn so bald wie möglich seitens der Gauverwaltung mit diesen Volksgenossen richtig verhandelt und das gesamte Kreisgebiet richtig durchgesäubert würde . . .»[65]

Auch andernorts stieß die «Arbeitsfront» auf Abwehr.

Aus dem Monatsbericht der DAF-Gauverwaltung Bayerische Ostmark für Juni 1936:

«In den Hartsteinbetrieben im Bayerischen Wald nimmt die Lage eine bedrohliche Haltung an. Die Gefolgschaften sind sehr unruhig. Es ist in einigen Betrieben dazu gekommen, daß die Bezahlung der Beiträge zur Deutschen Arbeitsfront geschlossen verweigert wurde. Grund der Ursache ist der schlechte Lohn und das Nichtherauskommen der neuen Tarifordnung. Von den Gefolgschaftsmitgliedern wird betont: ‹Lange genug hat man uns Versprechungen gemacht und nichts wurde gehalten.›»[66]

Trotz dieser Vorbehalte stiegen die Mitgliederzahlen schnell an. 1935 zählte die DAF sechzehn Millionen Mitglieder, 1939 dreißig Millionen. Idealismus oder Opportunismus bewogen sicherlich viele zum Eintritt in die Massenorganisation. Eine wichtigere Rolle spielten wohl die Sanktionen gegen Nichtmitglieder. Wie es um die «Freiwilligkeit» der Mitgliederschaft bestellt war, zeigt eine Werbebroschüre aus dem Jahre 1935:

«Die DAF zwingt keinen Menschen in ihre Reihen, aber wo der Wille der Gemeinschaft anfängt, da hört der Wille des einzelnen auf. Wo alles zur Gemeinschaft drängt, darf niemand außerhalb dieser Gemeinschaft stehenbleiben.»

Folgerichtig urteilte das Arbeitsgericht Helmstedt am 8. August 1936:

«Ein Gefolgsmann, der sich hartnäckig weigert, in die DAF einzutreten, verstößt gegen den Gedanken der Betriebsgemeinschaft. Eine aus diesem Grunde ausgesprochene Kündigung ist nicht unbillig hart.»

Um so erstaunlicher bleibt, daß sich rund 10 Prozent der Arbeitnehmer doch noch der DAF-Mitgliedschaft bis zum Kriegsende entziehen konnten.

Ihre politisch wirkungsvollste Aktivität entfaltete die DAF auf dem Freizeitsektor. «Kraft durch Freude» (KdF) sollte die Arbeiter fit machen für die «Arbeitsschlacht». Vom Symphoniekonzert im Betrieb bis zur Schiffsreise nach Madeira, vom «bunten Abend» bis zum Theaterbesuch – KdF organisierte jede Art von Freizeitbeschäftigung.

Auch der Urlaub wird bezahlt, so daß man ohne Kummer eine Reise machen kann. Reise?? Ja! Dafür sorgt jetzt „Kraft durch Freude".

Wem die Berge nicht mehr neu sind, der gondelt einmal nach Madeira. Fünf große Schiffe stehen dafür zur Verfügung!

An der Popularität von «Kraft durch Freude» kann nicht gezweifelt werden. Nach der amtlichen Statistik stieg die Zahl der Teilnehmer an Urlaubsfahrten von 2,3 Millionen 1934 auf 10,3 Millionen 1938 und die der Teilnehmer an sonstigen Freizeitveranstaltungen in der gleichen Zeit von 9,1 Millionen auf 54,6 Millionen Personen.

Seit 1936 bot sich der DAF die Möglichkeit, aus dem sozialpolitischen Abseits herauszukommen. In Gegenden und Industriezweigen, wo ein Arbeitskräftemangel spürbar geworden war, konnte sie sich zum Verfechter von Arbeiterinteressen aufwerfen. Der Reichswirtschaftsminister schrieb Ende April 1937:

«Es erscheint aber notwendig, daß auch die DAF ihre dauernden Einwirkungen auf die Unternehmer zur Verbesserung ihrer betrieblichen, übertariflichen Arbeitsbedingungen und damit zu Lohnerhöhungen unterläßt. Mir wird erst jetzt wieder das ... Muster einer Betriebsordnung der DAF, Gauwaltung Düsseldorf, vorgelegt, das ganz erhebliche Verbesserungen der Arbeitsbedingungen und damit der Lohnkonten enthält (Feiertagsbezahlung, Frauen- und Kinderzulagen, Weihnachtsgratifikationen usw.) ... Den Unternehmern selbst ist es mit Rücksicht auf den durch sie ausgeübten Druck nicht möglich, die dauernden Forderungen und Anregungen zu Lohnaufbesserungen abzulehnen.»[67]

Die DAF war die Nachhut, nicht der Vorreiter. Die auf ihre Popularität bedachten Funktionäre wußten keinen anderen Weg, als sich die Forderungen der Arbeiter teilweise zu eigen zu machen, zumindest sie zu decken. Dieser Kurs mußte zu Reibereien mit dem alten Widersacher, den Treuhändern der Arbeit, führen. In ihren Berichten für den Monat April 1937 schrieben sie:

«... Betriebe der Süßwarenindustrie, besonders in Franken und Sachsen, haben wiederholt über die Eingriffe der Arbeitsausschüsse der DAF geklagt. Die DAF hat die Ergebnisse der Besprechungen der Arbeitsausschüsse dazu benutzt, unmittelbar an die Betriebe heranzutreten und sie zu Änderungen und Ergänzungen ihrer Betriebsordnungen, insbesondere in der Frage der Urlaubsregelung, Weihnachtsvergütung, verlängerte Kündigungsfrist, Urlaub für Saisonarbeiter, zu veranlassen. Die DAF hat damit offenbar versucht, über den Weg der Arbeitsausschüsse Forderungen durchzusetzen, deren Erfüllung der Reichstreuhänder Brandenburg als Sondertreuhänder für die Süßwarenindustrie im Deutschen Reich abgelehnt hat, weil sie nach seiner Auffassung nicht tragbar sind.»[68]

Zwei Monate später gab es neuen Konfliktstoff:

«Die DAF, Gaubetriebsgemeinschaft Verkehr und öffentliche Betriebe, hat im *Völkischen Beobachter* Nr. 125 vom 5. Mai 1937 und die in der *Berliner Börsenzeitung* Nr. 210 vom 7. Mai 1937 eine Notiz erscheinen lassen des Inhalts, daß sie einen neuen Lohntarif für den Güterfernverkehr geschaffen habe, der vom Treuhänder der Arbeit bestätigt und veröffentlicht worden sei. Der Reichstreuhänder hat den verantwortlichen Amtswalter fernmündlich darauf hingewiesen, daß die Notiz irreführend und inhaltlich unrichtig sei. Trotz dieses Hinweises hat die DAF in ihren Mitteilungsblättern ... wiederum eine Notiz desselben Inhalts gebracht.»[69]

Während die Treuhänder auf ihre Rechte pochten, versuchte die DAF, ihren Einflußbereich auszudehnen. Der lachende Dritte war der Arbeiter. Die Profilierungssucht der DAF-Funktionäre honorierte er nicht. Die Wehrwirtschaftsinspektion XIII/Nürnberg schrieb 1937:

«... Auch sähen viele Mitglieder ihre Zugehörigkeit zur DAF nur als eine Last an. Infolge Fehlens von klaren Bestimmungen über Rechte und Pflichten der Mitglieder erscheine die DAF nur als verpflichtende Organisation (Beitragszahlung), die den Arbeitern wenig soziale Hilfe angedeihen lasse, da schließlich Verbesserungen im Betrieb und soziale Maßnahmen doch nur von der Einsicht des Betriebsführers, nicht aber von der Hilfe der Arbeitsfront ausgingen . . .»[70]

«In den Betrieben», so die Staatspolizeistelle Düsseldorf in einem Lagebericht für das Jahr 1937, «waren vor der Machtübernahme die Betriebsräte zum größten Teil alte Funktionäre der SPD-Arbeiterbewegung . . . Es wird oft beobachtet, daß sich die Arbeiter bei Lohnfragen in vielen Fällen nicht an die Vertreter der DAF, sondern an diese geschulten und ihnen bekannten Leute wenden und diese um Rat fragen.»[71]

Erzeugerschlacht fürs Vaterland
Der «Reichsnährstand» und die Bauern

Was die «DAF» für Arbeiter und Unternehmer, war der «Reichsnährstand» für die Bauern. Als Monopolorganisation setzte «Reichsbauernführer» Walter Darré ihn an die Stelle der vielschichtigen Agrarlobby der Weimarer Republik. Seit Mitte der zwanziger Jahre hatte Darré in einigen Aufsätzen seine Gedanken verbreitet, die auf einer dubiosen Verquickung agrarsoziologischer Erkenntnisse, nationalsozialistischer Rassentheorie und der Lebensraumideologie beruhten. Titelkostprobe: «Das Schwein als Kriterium für nordische Völker und Semiten.» Als NS-Landwirtschaftsminister ab Juni 1933 ging Darré nicht nur daran, bäuerliches Brauchtum neu zu beleben, er kümmerte sich auch um mehr handfeste Dinge wie die Betriebsführung. Durch Marktordnungen lenkte er Anbau, Absatz und Preise der Agrarprodukte. Im geplanten Krieg sollte die Versorgung der Bevölkerung mit Erzeugnissen aus heimischer Erde gesichert sein. Zugleich sollten die notleidenden Bauern mehr Geld in ihre Taschen bekommen.

Nicht wenige Landwirte hatten in den letzten Jahren von Weimar den Parolen der Nazis ihr Vertrauen geschenkt. Sie nahmen die Bekenntnisse der Parteiagitatoren zur «überragenden Bedeutung des Nährstandes für unser Volk», zur «Erhaltung eines leistungsfähigen, starken Bauernstandes» als «Rückgrat der Wirtschaft» für bare Münze. Die Landbevölkerung war von der agrarischen Krise so sehr gebeutelt, von den bürgerlichen Regierungen derart enttäuscht, daß die Nazis ihre einzige Hoffnung wurden. Sie verkündeten steuerpolitische Erleichterungen, versprachen Schutz gegen Importe, höhere Erlöse und staatliche Förderung. Der Zulauf aus Kreisen der seit Jahren von drückendsten Existenzsorgen geplagten Landwirte war groß. Einen Einblick in die Nöte der Landmänner einer kleinbäuerlich geprägten Region geben die Berichte des Bezirksamtes der fränkischen Kleinstadt Ebermannstadt:

«29. Oktober 1929 . . . Eine ungeheure Erregung besteht in der Landwirtschaft, weil die Bauern keine Gelegenheit finden, ihre Gerste, selbst unter dem Marktpreis, anzubringen. In Breitenlesau lagen etwa 2500 Zentner Gerste; etwa 30 Zentner konnten bisher verkauft werden . . .

12. August 1930 . . . Die in den Frühlingsmonaten anhaltende Trockenheit und das gegenwärtige schlechte Wetter wirken sich für das Getreide in Quantität und Qualität ungünstig aus. Dies bedeutet wiederum einen finanziellen Schaden für die ohnedies in schwierigen Verhältnissen lebende Landwirtschaft . . .

13. Oktober 1930 . . . Die Schweinepreise haben sich noch weiter gesenkt; es wird für den Zentner Lebendgewicht zur Zeit 50–52 Mark bezahlt. Das Schweinefleisch kostet aber immer noch 1 Mark bis 1,20 Mark . . .

12. Februar 1931 . . . Die Stimmung der Bauern wird immer unzufriedener, da sie keine richtigen Preise für ihre landwirtschaftlichen Erzeugnisse erhalten . . .

29. Oktober 1931 . . . Der Landwirt kann kaum sein Getreide und sein Vieh verkaufen und wenn, dann nur um einen Preis, der kaum die Gestehungskosten deckt. Gelegentlich der gestrigen Gemeindebesichtigung in Sachsendorf erklärte mir der Bürgermeister, daß die derzeitige Verschuldung der Anwesenbesitzer in der Gemeinde auf mindestens 60000 RM zu schätzen ist; dies komme daher, daß die Bauern nicht mehr in der Lage sind, die Zinsen der aufgenommenen Schuld aufzubringen, wodurch die Schulden rapid steigen. Dabei besteht Sachsendorf aus 44 Wohngebäuden mit 243 Einwohnern. Für landwirtschaftliche Anwesen wird kaum mehr ein Preis erzielt. So wurde vor einigen Tagen ein Anwesen in Welkendorf, das im Frieden mindestens 15000 RM wert gewesen ist, samt Inventar um den Preis von 9000 RM zwangsversteigert. Einer ganzen Anzahl von Anwesen droht die Zwangsversteigerung . . .»[72]

Kurz vor der Regierungsübernahme durch Hitler formulierte der Regierungspräsident von Oberbayern am 18. Januar 1933 die Erwartungen der Bauern in ihrer nach wie vor trostlosen Lage:

«Die allgemeine Wirtschaftslage hat sich nach keiner Richtung gebessert, vielmehr hat sich die Krise verschärft durch die Wirtschafts[lage] der Landwirtschaft, die infolge Fallens der Milchpreise und der fast totalen Unverkäuflichkeit des Holzes immer trostloser wird. Die Stimmung unter den Landwirten ist daher außerordentlich niedergedrückt. Die Bauern erwarten immer dringender die Hilfe des Reiches in ihrer Not. Mit Vollstreckungsschutz und ähnlichen negativen Maßnahmen wird den Bauern wenig geholfen sein. Es muß wenigstens für einige Zeit die Beschränkung oder völlige Sperre der Einfuhr von Fetten, Vieh und Holz kommen, sowie eine wirksame Schutzzollpolitik Platz greifen, wenn den Bauern noch rechtzeitig Hilfe gebracht werden soll.»

Im Halbmonatsbericht des Bezirksamts Aichach, einer Gegend mit überwiegend mittleren und größeren Bauernhöfen, tauchte am 31. Januar 1933 zum erstenmal der Name Hitler auf:

«Die verschuldeten Betriebe erwarten nun von Hitler eine Streichung ihrer Schulden, um weiter wirtschaften zu können . . .

Die Not in der Landwirtschaft macht sich immer mehr geltend. Infolge von Betriebseinschränkungen in den bäuerlichen Betrieben macht sich auch ein Überangebot von landwirtschaftlichen Dienstboten bemerkbar. Im Jahr 1932 wurden im Bezirk 159 Zwangsversteigerungsverfahren verhängt. Tatsächlich durchgeführt wurden fünfzehn Zwangsversteigerungen.»

Gut einen Monat nach der Regierungsübernahme in Berlin schien die NS-Regierung gute Karten bei den Oberbayern zu haben. Der Regierungspräsident notierte am 4. März 1933:

«. . . Speziell bei der bäuerlichen Bevölkerung hat sich vielfach ein Stimmungsumschwung zugunsten der NSDAP ergeben. Das leichte Anziehen der Holz- und Viehpreise wird von der Landwirtschaft vielfach bereits als ein Erfolg der neuen Reichsregierung gebucht . . .»

Am 19. Mai 1933 konnte der Regierungspräsident melden, daß die oberbayrischen Bauern der «Nationalsozialistischen Bauernschaft» «zahlreich» beitraten, obwohl sie sich nach Angaben des Bezirksamtes Altötting «vollständig im unklaren» über das geplante Entschuldungsprogramm der Nazis waren. Sie befürchteten, «daß auf Kosten der Allgemeinheit und der Sparer diejenigen bäuerlichen Kreise belohnt werden würden, die schlecht oder wenig sparsam gewirtschaftet haben. Auf dem letzten Amtstag in einer Bauerngemeinde wurden mir zwei extreme Beispiele vom Darlehenskassenverwalter vorgeführt. Dem einen Bauer, der ein guter, fleißiger und sparsamer Wirtschafter ist, gelang es trotz der schlechten Wirtschaftslage, sein Anwesen in den letzten Jahren auszubauen und sich schuldenfrei zu halten. Sein Nachbar, ein eifriger Jäger, aber nachlässiger Wirtschafter, steht vor dem Bankrott. Es würde größte Mißstimmung in der Gemeinde auslösen, wenn diesem Bauern jetzt Gelegenheit zu Sanierung, womöglich auf Kosten der Einleger im Darlehenskassenverein gegeben würde . . .»

Es kam, wie die einen erhofften und die anderen befürchteten: Per Gesetz wurden vom 1. Juni 1933 an landwirtschaftliche Schulden bis zur Hälfte gekürzt, der Zinssatz der verbliebenen Forderungen bis auf 4,5 Prozent herabgesetzt.

Ein gutes Vierteljahr später stiftete Oberbauer Darré erneut Unruhe in der deutschen Bauernschaft, als er am 29. September das «Reichserbhofgesetz» erließ, in dem die Nazis alle Elemente ihrer Bauernpolitik zusammenfaßten. Ihr Ziel war dabei vor allem eine wirtschaftlich gesicherte Schicht «mittlerer» Bauern. Auszüge:

«Die Reichsregierung will unter Sicherung alter deutscher Erbsitte das Bauerntum als Blutquelle des deutschen Volkes erhalten.

Die Bauernhöfe sollen vor Überschuldung und Zersplitterung im Erbgang geschützt werden, damit sie dauernd als Erbe der Sippe in der Hand freier Bauern verbleiben.

Es soll auf eine gesunde Verteilung der landwirtschaftlichen Besitzgrößen hingewirkt werden, da eine große Anzahl lebensfähiger, kleiner und mittlerer Bauernhöfe, möglichst gleichmäßig über das ganze Land verteilt, die beste Gewähr für die Gesunderhaltung von Volk und Staat bildet.

Die Reichsregierung hat daher das folgende Gesetz beschlossen. Die Grundgedanken des Gesetzes sind:

Land- und forstwirtschaftlicher Besitz in der Größe von mindestens einer Ackernahrung (soviel, wie für die Ernährung einer Familie erforderlich ist) und von höchstens 125 Hektar ist Erbhof, wenn er einer bauernfähigen Person gehört.

Der Eigentümer des Erbhofs heißt Bauer.

Bauer kann nur sein, wer deutscher Staatsbürger, deutschen oder stammesgleichen Blutes und ehrbar ist.

Der Erbhof geht ungeteilt auf den Anerber über.

Die Rechte der Miterben beschränken sich auf das übrige Vermögen des Bauern. Nicht als Anerben berufene Abkömmlinge erhalten eine den Kräften des Hofes entsprechende Berufsausbildung und Ausstattung; geraten sie unverschuldet in Not, so wird ihnen die Heimatzuflucht gewährt.

Das Anerbenrecht kann durch Verfügung von Toten wegen nicht ausgeschlossen oder beschränkt werden.

Der Erbhof ist grundsätzlich unveräußerlich und unbelastbar.»

Wie reagierten die Bauern? Das Bezirksamt im oberbayrischen Altötting mußte Anfang Dezember berichten, «daß die bei den Landwirten vorhandene Skepsis gegenüber dem Erbhofgesetz nicht schwinden will. Der Kernpunkt der Bedenken ist die Einreihung der Tochter an vierter Stelle in der Anerbenreihenfolge, die angeblich unzulängliche Abfindung der nachgeborenen Kinder und die Unmöglichkeit der Begründung von Miteigentum am Erbhof für den Fall, daß ein Bauer in den Erbhof einheiratet. Der bisherige Rechtszustand, daß der Einheiratende auf Grund der Gütergemeinschaft Miteigentümer und ‹Moar› des Hofes wird, ist so tief im Volk verwurzelt, daß der Bauer eine abweichende Regelung sich nicht vorzustellen vermag.»

Typisch für die Haltung der bayrischen Bauern war die Stellungnahme der Regierung von Niederbayern und der Oberpfalz vom 6. April 1934:

«Obwohl das Erbhofgesetz zum Schutze des Bauernstandes erlassen ist, findet es selbst in den Kreisen der Landwirte keine ungeteilte Anerkennung. Begrüßt wird es natürlich von Bauern, die durch das Gesetz vor der Vergantung bewahrt wurden. Dagegen sind die tüchtigen Landwirte, die sich stets bemüht haben, ihre Verpflichtungen zu erfüllen und ihre Höfe schuldenfrei zu halten, peinlich überrascht, wenn ihnen jetzt gerade wegen ihrer Eigenschaft als Erbhofbesitzer von den Banken usw. kein Kredit gewährt wird und sie daher gewissermaßen als kreditunwürdig behandelt werden. Da der Erbhof nicht mehr dinglich belastet werden kann und mit allem Zubehör dem Zugriff des Gläubigers entzogen ist, lehnt begreiflicherweise jeder vorsichtige Geschäftsmann eine Kreditgewährung an Erbhofbesitzer ab. Dies wirkt sich auch auf die Arbeitsbeschaffung aus, da viele Erbhofbesitzer zwar einen Reichsbauzuschuß haben möchten, aber ihren Anteil an den Kosten der Baumaßnahme ohne Kredit nicht aufbringen können. Eine weitere Folge der Unbelastbarkeit des Erbhofes ist, daß die derzeitigen Erbhofbesitzer, die sich durch einen bloß obligatorischen Übergabevertrag nicht geügend gesichert fühlen, in zunehmendem Maße ihre Altersversorgung in einer Lebensversicherung suchen. Die hohen Prämien müssen natürlich aus dem Hof herausgewirtschaftet werden. Hierdurch und durch den Mangel an Kredit (zum Beispiel zum Maschinenankauf usw.) ist ein Rückgang in der Bewirtschaftung des Hofes zu befürchten. Ein weiteres und noch schlimmeres Bedenken gegen das Erbhofgesetz wird darin erblickt, daß die meisten Erbhöfe nicht in der Lage sein werden, den außer dem Anerben vorhandenen Kindern eine entsprechende Ausstattung zu leisten. Das Los der Anerben und seiner Geschwister wird also in vielen Fällen so ungleich sein, daß ein Vater, der in gleicher Liebe an allen seinen Kindern hängt, diese Regelung als unbillig empfindet. Der Gegensatz in der Versorgung des Anerben und der übrigen Kinder wird natürlich um so schroffer sein, je größer die Kinderzahl ist. Infolgedessen wird der Vater, solange er Erbhofbesitzer ist, zugunsten der anderen Kinder dem Hof Mittel entziehen (zum Beispiel durch Lebensversicherung usw.) oder, was näherliegt, die Zahl der Kinder einschränken, wie das in Westfalen, dem Ursprungsland des Anerbenrechts, bereits der Fall sein soll.»

Zwei Jahre nach dem Erlaß des «Reichserbhofgesetzes» zeichneten sich Tendenzen ab, die von den Nazis nicht beabsichtigt waren: «Zum Besuch der Landwirtschaftsschule haben sich heuer nicht so viele junge Landwirte gemeldet als im vergangenen Jahr», stellte am 2. November 1935 das Bezirksamt Aichach fest. Zwar spiele dabei auch die Aushebung zum Arbeits- und Wehrdienst eine Rolle, doch sagten auch manche junge Leute, «daß der Besuch der Schule für sie keinen Wert habe, weil sie, wenn sie nicht der Erstgeborene sind, nach dem Erbhofgesetz nicht Bauer werden können . . .»

Zufriedener waren die Bauern mit etwas anderem: Die Nazis hatten ihnen höhere Preise versprochen, und das hielten sie sogar! Aber ein Haken war doch dabei, an den sich die Bauern nicht gewöhnen konnten oder wollten: die zentralisierte Ablieferung ihrer Erzeugnisse und die gelegentlich schleppende Bezahlung der Lieferungen. «Die Durchführung der marktpolitischen Maßnahmen des Reichsnährstandes» stoße, so in vornehmer Umschreibung das Bezirksamt Ebermannstadt mit Datum vom 3. Oktober 1934, «teilweise noch auf Widerstände.»

Auch die Verbraucher waren mit der Einrichtung der Sammelstellen für Butter, Milch und Eier unzufrieden. Wer früher bei «seinem» Bauern seinen Bedarf direkt deckte, hatte jetzt diese preiswerte Quelle eingebüßt und mußte zum Teil spürbare Preissteigerungen hinnehmen.

Wenig begeistert waren vor allem die kleinen Landwirte von dem Sammelfieber der Nazis, das auch den kleinsten Weiler nicht verschonte und den Ärmsten, denen der «Reichsnährstand» noch nicht wieder auf einen grünen Zweig verholfen hatte, arg zu schaffen machte. Sie hatten auch nach zwei Jahren Hitler «nur das Notwendigste zum Leben», wie zum Beispiel die Gendarmerie-Station Unterweilersbach in ihrem Jahresschlußbericht 1934 bemerkte. Eine durchgreifende Besserung der finanziellen Lage war aber auch bei den «mittleren» Landwirten, jetzt mit dem Ehrentitel «Bauer» geschmückt, nicht zu verzeichnen. Viele zahlten selbst ihre verbliebenen Schulden ungenügend. Sie «verschanzen sich auch hinter dem Entschuldungsverfahren und stützen sich auf den Vollstreckungsschutz. Beim hiesigen Amtsgericht sind in den letzten zwei Jahren 631 Anträge auf Eröffnung des Entschuldungsverfahrens eingereicht worden. Seitens der Gläubiger wird deshalb auch geklagt, daß sie vielfach gegen ihre Schuldner nicht vorgehen können», heißt es im Bericht des Bezirksamts Aichach für Januar 1935.

Die Anordnungen des «Reichsnährstandes» faßten viele Bauern, die sich als eigene Herren in Haus und Hof verstanden, als Eingriff in ihre unmittelbaren Entscheidungsrechte auf: Milchleistungsprüfungen, Anbauzwang für Raps und Flachs und die Ablieferungen an die Molkereien wurden in «drastischer Weise» bemängelt, so der Regierungspräsident von Oberbayern im Februar 1937, der seinem Text einem aus den Berichten der Ämter und Bürgermeister zusammengestellte Liste beifügte, die stichwortartig zeigt, was den Bauern paßte und was nicht:

Auf der einen Seite	Auf der anderen Seite
Dienstbotennot	Vierjahresplan ... Milchkontrolle mit erhöhter Arbeit
niedriger Milchpreis	hoher Verbraucherpreis mit hohen Molkereigewinnen
Mangel an Getreide	hohe Gewinne der Mühlen
hohe Düngerpreise	Riesengewinne der Düngemittelfabriken
niedrige Schlachtviehpreise	hohe Preise für Nutz- und Zuchtvieh
Steigerung aller Ausgaben	Mißernte und ungenügende Erlöse
Mangel an Zahlungsmitteln	Umständlichkeiten beim Verkauf von landwirtschaftlichen Erzeugnissen (Milch, Getreide, Zuchtvieh, Schlachtvieh) ...

In dieser Stimmung fehlte den Bauern der nötige Schwung für die von Berlin verordneten «Erzeugerschlachten». Darré mußte nachhelfen: Um die landwirtschaftliche Produktion zu erhöhen, bekamen die Bauern ab Sommer 1937 Zuschüsse für den Neu- oder Umbau von Düngestätten und Jauchegruben, von Hühnerställen und Weideanlagen. Das war notwendig, da ihnen ja der Weg zum Realkredit durch die «Erbhof»-Gesetzgebung weitgehend versperrt war.

Noch immer waren die Maßnahmen des «Reichsnährstandes» nicht durchweg akzeptiert. Es gab einige Beispiele bäuerlicher Dickschädeligkeit, die den Beamten der Gendarmerie-Station Heiligenstadt im August 1937 eine Notiz wert war:

«Bei dieser Gelegenheit muß noch die Rahmablieferung der Gemeinde Zoggendorf erwähnt werden. Der größte dort vorhandene Bauer lieferte seit 1. März 1937 nur an zehn Tagen Milch ab, dabei allein an sechs Tagen 160 Liter. Während der übrigen Zeit lieferte er überhaupt nichts ab, obwohl er in der Lage wäre, nach seinem Viehstand von sechs Melkkühen, bedeutende Mengen abzuliefern. Es wird vermutet, daß geheime Abnehmer der Butter vorhanden sind.»

Und die Gendarmerie-Hauptstation Ebermannstadt schilderte im selben Monat einen besonderen Fall «unangebrachter Kritik» an der Bauernpolitik der Nazis:

«Gegen den Blockleiter und Brauereibesitzer Willi Prütting und dessen Schwager, den Bauern Johann Georg Ebenhack, beide von Hetzelsdorf, mußte eingeschritten werden, weil sie, obwohl Parteimitglieder, am 15. August 1937 in der Gastwirtschaft Richter in Hagenbach sich abfällig über Staat und Ordnung geäußert hatten. Prütting behauptete, der Kommunismus brauche nicht mehr zu kommen, es sei in Deutschland bereits schlimmer als in Rußland. Die Kontingentierung der Braugerste gab ihm Anlaß, von den ‹Berliner Lumpen› zu reden, ‹in die das Donnerwetter hineinschlagen solle›. Ferner war ihm die Getreideablieferungspflicht und der Dienstbotenmangel Anlaß zu scharfer Kritik. Ebenhack pflichtete diesen Flegeleien bei.»

Ende 1937 wuchs die Unzufriedenheit der Landwirte allgemein. Preiserhöhungen für Schweine wurden zwar beifällig aufgenommen, konnten die Landmänner aber nicht insgesamt zufriedenstellen. Für ihr Hauptprodukt, das Getreide, erlösten sie nach wie vor viel zuwenig, und die Beiträge zum «Reichsnährstand» waren ihrer Meinung nach ebenso zu hoch wie die Löhne für die viel zu knappen Knechte und Mägde. Immer stärker stieß Darrés Planwirtschaft an ihre Grenzen. Im Bezirk Ebermannstadt herrschte im Winter 1938 Futtermangel, so daß die Bauern sich gezwungen sahen, ihr Vieh zum Teil zu verkaufen, ein Vorhaben allerdings, daß sie, mal abgesehen von der geringen Nachfrage, wegen der staatlich festgesetzten Kontingente für Mast- und Schlachtvieh nicht verwirklichen durften ...

Geldknappheit, steuerliche Belastung und die Auswirkungen des «Reichsnährstandes» mit seinem Bündel verschiedener Maßnahmen ließen daher immer mehr Landwirte die Frage stellen, «ob im Vergleich zu den guten Einkommensverhältnissen in der Industrie und in anderen Erwerbsschichten die mit Schwierigkeiten aller Art belastete landwirtschaftliche Arbeit überhaupt noch einen Sinn habe» ...

wie die Gendarmerie-Bezirksinspektion Ebermannstadt Ende Juli 1939 meldete:

Die Gründe für die Unzufriedenheit nahmen noch zu:

«Völlig unbefriedigend sind weiterhin die Verhältnisse auf dem Gebiet der Versorgung mit Schweinefleisch. Zunächst wirkt sich hier die Tatsache, daß trotz Wiedereinführung der Schweinemärkte eine Senkung der Preise für Jungschweine nicht erzielt werden könnte, für die Nachzucht nachteilig aus. Aber auch die Preise für die Schlachtschweine stehen nur mehr auf dem Papier. Es ist offenes Geheimnis, daß die Höchstpreise unbeachtet bleiben bzw. durch Koppelungsgeschäfte (gleichzeitiger Ankauf eines Schweins und eines Kalbes) umgangen werden. Einzelne Orte . . . klagen darüber, daß die Zuweisung an Schlachtschweinen unzureichend sei und auch uneinheitlich erfolge.

Das vom Eierwirtschaftsverband . . . verfügte Verbot des Absatzes von Eiern durch den Erzeuger auf dem Wochenmarkt in Augsburg hat starken Unwillen hervorgerufen. Die Eierablieferungen an die Sammelstelle gehen noch sehr zaghaft vor sich. Teilweise wurde mit Verringerung des Hühnerbestands gedroht.»

Trotz aller Schwierigkeiten, die hier am Beispiel der bayrischen Bezirke Ebermannstadt und Aichach in Ausschnitten deutlich wurden, kamen die Nazis dem Ziel des «Reichsnährstandes», Deutschlands Landwirtschaft «kriegsfähig» zu machen, erstaunlich nahe: Obwohl die landwirtschaftliche Nutzfläche um 700 000 Hektar sank, stieg der Anteil der deutschen Bauern an der Versorgung ihrer Landsleute von 75 Prozent im Jahre 1932 auf immerhin 81 Prozent 1937. Lebensmitteleinfuhren blieben allerdings weiterhin notwendig, die «Erzeugungsschlachten» brachten die ersehnte Autarkie trotz aller Anstrengungen der Nazis nicht.

Die Knechte laufen weg

Als 1935 die allgemeine Wehrpflicht eingeführt wurde, mischten sich in die vielfältigen Reaktionen auf diese Entscheidung der Nazis auch Bedenken einer Berufsgruppe, die durch diese Maßnahme ihr Reservoir an Dienstboten, wie Knechte und Mägde nach der alten Gesindeordnung genannt wurden, rapide schwinden sah: die der mittleren und großen Bauern. In Wirklichkeit zog dies Argument nur sehr bedingt, die Gründe für den in der Tat beträchtlichen Mangel lagen eher woanders: Selbst in der Erntezeit, in der bei gutem Wetter besonders hart gearbeitet werden mußte, zahlten die Bauern nur einen kargen Lohn, und auch die Verpflegung, die sie ihren Hilfskräften gewährten, gab häufig Anlaß zu berechtigten Klagen. In wachsender Zahl liefen die Dienstboten ihren Arbeitgebern davon, die Stadt war allemal attraktiver. Ohne Knechte waren die Bauern aufgeschmissen, zuviel Arbeit blieb liegen. In dieser Situation machten sich die Behörden, wie ein Bericht des Regierungspräsidenten von Oberbayern vom 9. Juli 1935 ausweist, zum Handlanger der Bauern: «Die Bezirksämter sind unter dem Druck eines Notstands vielfach dazu übergegangen, ohne triftigen Grund entlaufene Dienstboten unter Verwarnung durch die Gendarmerie auf ihre Arbeitsplätze zurückbringen zu lassen, bei neuerlichem Verstoß aber zu kurzdauernder Inschutzhaftnahme zu schreiten . . .

Durch Entschließung des Bayrischen Innenministeriums vom 14. Juli 1936 wurden die Bezirkspolizeibehörden ermächtigt, «in Fällen volksschädigenden Eigennutzes mit Schutzhaft vorzugehen 1. gegen landwirtschaftliche Arbeitskräfte, die ohne nennenswerten Grund ihre Arbeitsplätze verlassen, 2. gegen Bauern und Landwirte, die anderen Arbeigebern ihre Arbeitskräfte abdingen oder solche in Kenntnis eines Vertragsbruchs einstellen, 3. gegen jede Person, die durch Verleitung landwirtschaftlicher Arbeitskräfte zum Vertragsbruch Unordnung oder Unruhe in den landwirtschaftlichen Markt trägt.»

Im nächsten Monat schrieb der Regierungspräsident:

«. . . Zwar haben die jetzt zulässigen Zwangsmaßnahmen bei Vertragsbrüchen und grundlosen Kündigungen schon etwas gefruchtet, auch werden die Erntehelfer aus der Ostmark dankbar begrüßt, allein es herrscht nach wie vor ein Mangel an tüchtigen, geschulten Mägden und Knechten.»

Der Regierungspräsident beschränkte sich nicht auf die Beschreibung der Situation, er versuchte auch eine Analyse:

«Dieser Mangel [an Dienstboten] wird nicht aufhören, solange das soziale Problem ‹hie Fabrikarbeiter, hie landwirtschaftlicher Dienstbote› nicht gelöst ist. Das Nebeneinander von Industrie und Landwirtschaft führt zu einer ständigen Vergleichung der Arbeitsbedingungen, die hinsichtlich der persönlichen Freiheit und Freizeit immer zugunsten des Industriearbeiters ausfällt. Der landwirtschaftliche Dienstbote sieht sich im Vergleich zum Fabrikarbeiter auch zu schlechteren Lohnbedingungen arbeiten. Er kommt später zum Heiraten, später zur Gründung eines eigenen Haushalts und einer Familie. So kann man es erleben, daß die Bauern selbst ihre nachgeborenen Söhne und Töchter handwerklichen und industriellen Berufen zuführen und dabei zu Hause einen Mangel an Arbeitskräften haben. Ein Bezirksamt berichtet, daß trotz der Verhängung von Schutzhaft, trotz gütlicher Vermittlungsversuche der Deutschen Arbeitsfront dutzende Male gemeldet wurde, daß Dienstboten erklärten, sich lieber nach Dachau schaffen zu lassen, als wieder auf ihren Dienstplatz zurückzukehren. Die Bauern tragen hier selbst ein gerütteltes Maß an Schuld wegen schlechter Behandlung ihrer Ehehalten [veraltet für Dienstboten].»

Daß der Dienstbotenmangel auch Auswirkungen auf die vom «Reichsnährstand» propagierten «Erzeugungsschlachten» zur Erhöhung der Agrarproduktion hatte, verdeutlicht der Bericht des Bezirksamtes Ebermannstadt vom Jahresende 1936:

«... Lebhaft geklagt wird über den großen Mangel an ländlichen Arbeitskräften in den Juragemeinden. Als Folge dieses Mangels an Arbeitskräften kommt es nicht selten vor, daß die Bauern sich gegenseitig die bereits gedungenen Knechte und Mägde durch höhere Angebote wieder abdingen. Durch diese Machenschaften nimmt der Arbeitseinsatz in der Landwirtschaft Formen an, die es dem wirtschaftlich schwächeren Bauern fast unmöglich machen, infolge der in die Höhe getriebenen Löhne für das kommende Arbeitsjahr Arbeitskräfte einzustellen, ein Umstand, der sich angesichts der Erzeugungsschlacht recht wenig günstig auswirken wird.»

Wie kraß der Dienstbotenmangel sein konnte, macht ein Beispiel aus dem Bezirk Aichach klar, das Anfang April 1937 bekannt wurde:

«Nach einem Gendarmeriebericht sind einige Bauern vorhanden, die 150 bis 200 Tagwerk Grund besitzen und einen Dienstboten, anstatt vier bis fünf, zur Arbeit haben ...»

Landflucht wurde zum Schreckenswort für die NS-Agrarplaner, die ihr Soll nicht erreichten, weil vor Ort die Arbeitskräfte davonliefen. Anfang November 1938 räumte das Bezirksamt Aichach ein:

«Die Dienstbotennot nimmt jetzt schon Formen an, die sich zu einer unmittelbaren Gefahr für die landwirtschaftliche Erzeugung und für die intensive Bewirtschaftung von Grund und Boden entwickeln. Die Wochenlöhne der Dienstboten, die im Jahre 1933 etwa 6 RM betrugen, sind auf mehr als das Doppelte gestiegen. Nach mir zugegangenen Berichten sind heute schon Bauern gezwungen, Wochenlöhne von 16 bis 18 RM zu bezahlen; jedenfalls ist die Neigung zu einer immer noch steigenden Erhöhung der Löhne unverkennbar.»

Diese Lohnaufbesserung war auch notwendig, denn an der lohnabhängigen Landarbeiterschaft war der wirtschaftliche Aufschwung in Deutschland bisher fast spurlos vorübergegangen. Die «Reichstreuhänder der Arbeit» sahen die Gründe der Landflucht, «dieser unheilvollen Entwicklung», «in der absaugenden Wirkung von Industrie und Gewerbe, die höhere Löhne als der Bauer mit seinen gebundenen Preisen bezahlen können. Zugleich macht sich auch der Zug in bequemere Berufe mit leichterer Arbeit und kürzerer Arbeitszeit sowie besseren Aufstiegsmöglichkeiten bemerkbar. Die noch verbleibenden Arbeitskräfte haben zwangsläufig ein Übermaß von Arbeit zu bewältigen, was die Neigung zur Abwanderung noch verstärkt.»[73]

Nur in unteren Stellungen geduldet

Frauenarbeit im «Dritten Reich»

Die Nazis gaben die Devise aus: «Der Platz der Frau ist das Heim.» Die deutschen Frauen sollten sich aus der Arbeitswelt zurückziehen und den Kochlöffel – diese «Waffe» von «nicht geringer Durchlagskraft» – in die Hand nehmen. Schon früh hatte Hitler seine Geringschätzung der berufstätigen Frau verraten. In ‹Mein Kampf› entwarf er den – nie verwirklichten – Plan, den deutschen Mädchen nach der Geburt nur die Staatsangehörigkeit und erst nach der Heirat die volle Staatsbürgerschaft zu verleihen.

Die erwerbstätigen Frauen hatten für die Nazi-Parolen ein schlechtes Ohr. Immerhin waren 80 Prozent der Arbeiterinnen aus wirtschaftlicher Not gezwungen, Geld zu verdienen. Überflüssig zu sagen, was diese Frauen von den Knittelversen hielten, mit denen 1934 Berliner Litfaßsäulen plakatiert waren: «Nicht im Beruf kannst du glücklich sein, dein richtiger Wirkungskreis ist das Heim.» Einer Arbeiterin, die um sechs Uhr zur Frühschicht hetzte, nachdem sie ihre vier Kinder versorgt und schon das Mittagessen vorbereitet hatte, mußten derartige Phrasen als glatter Hohn erscheinen.

Die Nazis vermieden denn auch jeden Zwang, die Frauenarbeit einzuschränken. Zu sehr fürchteten sie die empörte Reaktion der betroffenen Frauen und ihrer Familien. Hauptsächlich waren es aber die Unternehmer, die sich den Versuchen der Parteispitze, ihnen

Vorschriften in der Personalpolitik zu machen, widersetzten. Sie waren nicht bereit, auf die billige weibliche Arbeitskraft zu verzichten. Alle Räder hätten stillgestanden, wenn etwa in den Textil- oder papierverarbeitenden Industrien, in denen über die Hälfte der Belegschaft weiblich war, die Frauenarbeit verboten worden wäre.

Im Laufe der Nazi-Herrschaft entfernten sich ideologischer Anspruch und wirtschaftlicher Alltag immer mehr voneinander. 1932 zählten die krankenversicherten weiblichen Beschäftigten erst 4,6 Millionen, 1933 schon 4,75 Millionen und 1934 dann 5,05 Millionen. Nur dort, wo sie den Herr-im-Haus-Standpunkt der Unternehmer nicht fürchten mußten, fühlten sich die Nazis stark: im öffentlichen Dienst. Vor allem verheiratete Frauen wurden aus verantwortungsvollen Positionen der öffentlichen Verwaltung verdrängt; in den Schulen wurde den Männern der Vorzug bei der Besetzung von Direktorenposten gegeben. Offen diskriminiert wurden auch Ärztinnen, deren Bewerbungen bei Krankenhäusern sogleich in den Papierkorb wanderten. Ab 1936 durften Frauen nicht mehr Richter und Staatsanwälte sein. «Gekrönt» wurde diese frauenfeindliche Politik durch einen Numerus clausus von 10 Prozent für Studentinnen. Dadurch wurde der Anteil der weiblichen Studierenden an der gesamten Studentenschaft von 15,8 Prozent im Jahre 1932 auf den Tiefstand von 11,2 Prozent im Sommer 1939 gesenkt.

Konsequent befolgt wurde die Ideologie der Häuslichkeit also nur, wenn es darum ging, Frauen aus attraktiven Stellungen zu kippen. Was ihnen blieb, waren subalterne Tätigkeiten.

Infolge des Rüstungsbooms wurden seit 1936 die Arbeitskräfte immer knapper. Um diesen Mangel zu beheben, sollten – Ideologie hin, Ideologie her – die Frauen herangezogen werden. Der Weg erwies sich als Sackgasse. Die Zahl der Frauen mit regelmäßiger Arbeit wuchs in den späten dreißiger Jahren zwar schneller als in den ersten Jahren der Nazi-Herrschaft. Aber insbesondere die für die Kriegsvorbereitung wichtige Gruppe der Industriearbeiterinnen blieb bis weit in den Krieg hinein klein. Sie machte nicht einmal 13 Prozent der weiblichen Beschäftigten aus (1,48 Millionen von 11,6 Millionen im Oktober 1936).

Für die Frauen und Mädchen gab es keinen Grund, das viel gepriesene Hausfrauen- und Mutterideal plötzlich aufzugeben. In den Fabriken erwartete sie nur unqualifizierte und unterbezahlte Arbeit. Die Mehrzahl der Fabrikarbeiterinnen war entweder ungelernt (45,3 Prozent) oder angelernt (49,8 Prozent). Die Entlohnung bildete keinen Anreiz: 1939 verdiente zum Beispiel ein ungelernter Arbeiter 50 Prozent mehr als seine ungelernte Kollegin.

161

Beschäftigung von Frauen im Kriegsfall –
Erlaß des Reichsarbeitsministers vom 16. September 1938:
«. . . 3. Frauen sollen nicht mit Arbeiten beschäftigt werden,
die besondere Geistesgegenwart, Entschlußkraft und schnelles
Handeln erfordern.
4. Frauen sollen im allgemeinen nicht mit Arbeiten betreut
werden, die besonderes technisches Verständnis und technische
Kenntnisse erfordern . . .»

Der abschreckende Charakter der Frauenarbeit war nichts Neues.
Neu dagegen war: Die materielle Lage der Mehrheit der Arbeiter
begann sich seit 1936 sichtlich zu bessern. Die Männerlöhne stiegen
in den vom Rüstungsboom profitierenden Industrien so sehr an, daß
viele Familien den bescheidenen gewohnten Lebensstandard mit
dem Verdienst des Ehemannes allein sichern konnten. Da die Nazis
zu Zwangsmaßnahmen nicht zu greifen wagten, blieb ein großes
Reservoir an Arbeitskräften ungenutzt. 948 000 ledige Frauen, so
ergab die Volkszählung von 1939, und über 5,4 Millionen verheiratete Frauen ohne Kind, alle «einsatzfähig», aber nicht erwerbstätig,
zogen den Kochlöffel der Werkbank vor.

Ohne patriotischen Schwung

Im Krieg wurde Frauenarbeit unerläßlich. Aber sie blieb unpopulär.
Allein von Oktober bis Dezember 1939 sank die Zahl der berufstätigen Frauen um fast 300 000. Der Regierungspräsident von Oberbayern stellte klar:
«. . . Für die Eingerückten werden reichliche Familienunterhalte
bezahlt; viele Arbeiterfrauen, deren Männer beim Heer stehen und
als Haushaltsverbraucher ausscheiden, erzählen, daß sie jetzt zum
erstenmal etwas erübrigen könnten . . .»[74]
Eine differenziertere Erklärung, warum die Frauen bei Kriegsbeginn so plötzlich zu Hause blieben, gab die Rüstungsinspektion XIII/
Nürnberg:
«Der Eigenverdienst von Kriegerfrauen, die also Familienunterstützung bezogen, wurde hohen Abzügen unterworfen . . . so daß
der geringe Mehrverdienst keinen Arbeitsanreiz mehr bot . . . Ferner
schieden zahlreiche werktätige Mädchen nach Kriegstrauung aus

ihren bisherigen Stellungen aus. Die Familienunterstützung ermöglichte es ihnen, nicht mehr selbst verdienen zu müssen. Andere Frauen wieder, die zwar im Frieden einem Verdienst nachgingen, aber auf ihn nicht unbedingt angewiesen waren, legten unter den erschwerten Haushaltungsverhältnissen ihre Arbeit nieder. In den Monaten Januar bis April (1940) häuften sich die Beschwerden aus der Rüstungsindustrie über disziplinloses Verhalten von Frauen. So fehlten beispielsweise in einem sozial durchaus gut geleiteten Werk Rheinisch-Westfälische Sprengstoff AG, Nürnberg (Belegschaft 2000 Köpfe), wochenlang regelmäßig montags, manchmal auch noch dienstags etwa vierhundert Frauen. Bei einem anderen Rüstungsbetrieb Steatit Magnesia, Lauf (Belegschaft 1800 Mann), täglich rund dreihundert weibliche Arbeitskräfte. Gründe für dieses Verhalten waren zum Teil einmal das Bestreben, unter der Mindestverdienstgrenze zu bleiben, um Abzügen an der Familienunterstützung vorzubeugen, zum anderen veranlaßten die erschwerten Versorgungsverhältnisse die Frauen, von der Arbeit fern zu bleiben.»[75]

Wie konnte man die Frauen in patriotischen Schwung bringen? Goebbels leitete die Aktion «Deutsche Frauen helfen siegen» ein. Über das Resultat der Propagandamaßnahmen berichtete der Sicherheitsdienst (SD) im Mai 1941:

«(In Dresden seien) von 1250 zu einer Werbeveranstaltung geladenen Frauen nur sechshundert erschienen, von denen wiederum sich nur 120 zur Übernahme eines Arbeitsplatzes bereit erklärt hätten, wobei allerdings der größere Teil es vorgezogen hätte, unter Anführung verschiedenster Gründe die vorherige Zusage zurückzuziehen ... Aus Leipzig wird ... ausgeführt, daß sich die erste, bisher einzige Frau am 8. Mai 1941 beim dortigen Arbeitsamt gemeldet hätte ... Ebenso sind in Dortmund nach übereinstimmenden Meldungen ... bisher keine praktischen Erfolge bezüglich des freiwilligen Arbeitseinsatzes der deutschen Frau bekannt geworden. Es heißt zum Beispiel in diesem Bericht, daß die Arbeitsfreudigkeit der Frauen, die bisher noch nicht im Arbeitsprozeß stehen, sich in keiner Weise gehoben hätte. Von 223 meist kinderlosen vorgeladenen Frauen habe man nur siebzehn für einen halbtägigen Arbeitseinsatz gewinnen können ...»

Auch in späteren SD-«Meldungen aus dem Reich» wurde fortgesetzt darüber geklagt, daß die Frauen trotz aller Propaganda nur wenig bereit waren, in Fabriken für den «Endsieg» zu arbeiten. Anweisungen zur generellen Dienstverpflichtung blieben jedoch aus. Im Reichsarbeitsministerium wurde befürchtet, «durch allzu scharfe Behandlung arbeitsunwilliger Frauen eine ungünstige Beeinflussung der Volksstimmung herbeizuführen». Die Frauen sollten freiwillig zum «Ehrendienst» in den Rüstungsbetrieben antreten.

Das Prinzip der Freiwilligkeit galt in der Praxis nur für Frauen aus wirtschaftlich privilegierten Gesellschaftsschichten. Im Juni 1941, zwei Tage vor dem Überfall auf die UdSSR, hatte Göring verfügt, alle unterhaltsberechtigten Frauen, die nach Kriegsbeginn ihre Arbeit aufgegeben hatten, wieder zur Arbeit heranzuziehen. Dieser Erlaß betraf nur die «ärmeren Bevölkerungskreise», die schon in Friedenszeiten erwerbstätig waren. Dagegen blieben Frauen, die noch niemals hatten arbeiten müssen, auch jetzt verschont. Volkes Stimme: «Der Angeschmierte ist immer der einfache Volksgenosse.» Die Frauen, die im ganzen Reich von den Arbeitsbehörden vorgeladen wurden, kochten vor Wut. In den SD-Berichten wurden typische Äußerungen zitiert:

«Wir sehen ein, daß es notwendig ist, daß wir wieder zur Arbeit gehen. Es bringt für uns zwar manche Unannehmlichkeit mit sich, aber es ist nun einmal Krieg, und da wollen wir auch mit zupacken. Warum zieht man aber Frau Direktor S. mit ihrer Hausangestellten nicht ein? Ihr vierjähriges Söhnchen könnte sie doch, genau wie wir es machen, tagsüber in den NSV-Kindergarten geben. Im übrigen würden sie die leichten Handgriffe in der Fabrik genauso schnell erlernen wie wir. Wo bleibt hier die gleiche Behandlung aller Volksgenossen?» Stets werde nur auf die Frauen der Arbeiter und «kleinen Leute» zurückgegriffen, weil diese weder Ausreden noch Beziehungen hätten. «Es ist dringend erforderlich, endlich einmal auf die Frauen zurückzugreifen, die für die Volksgemeinschaft noch nichts getan haben und die auf Grund ihrer günstigen finanziellen Verhältnisse nicht wissen, wie sie die Zeit totschlagen sollen. Das Wort Volksgemeinschaft ist sehr schön, deshalb erscheint es angebracht, daß die behördlichen Stellen die Volksgemeinschaft auch in der Front der Arbeit auf alle Kreise erstrecken.»[76]

Unter dem Eindruck von Stalingrad wurde am 27. Januar 1943 der Versuch zu einer totalen Mobilisierung der weiblichen Arbeitskräfte gemacht. Gauleiter Sauckel, der Generalbevollmächtigte für den Arbeitseinsatz, erließ eine «Meldepflichtverordnung». Alle Frauen von 17 bis 45 Jahren sollten daraufhin geprüft werden, ob sie in die Kriegswirtschaft dirigiert werden konnten. Ausgenommen waren unter anderem Frauen mit einem noch nicht schulpflichtigen Kind oder mit zwei Kindern unter vierzehn Jahren, außerdem Frauen mit schlechtem Gesundheitszustand. SD-Bericht von 4. Februar 1943:

«Geradezu mit Spannung wartet man auf das Anlaufen dieser

Maßnahme und insbesondere darauf, ob die Angehörigen der Oberschicht auch wirklich gerecht einbezogen werden . . . Nach den vorliegenden Meldungen ist die Skepsis ziemlich groß. Man glaubt, daß die ‹Prominenten›, wozu in der kleinen Stadt auch die Frau des Bürgermeisters oder des Rechtsanwalts gerechnet wird, auf irgendeine Weise versuchen würden, sich zu drücken. Die Ärzte würden sicherlich von Frauen überlaufen, die sich ihre Arbeitsunfähigkeit bescheinigen lassen wollen. Im äußersten Fall würden die Frauen, welche man besonders im Auge habe, sich wohl zum Roten Kreuz melden . . . man vermute, daß infolge der Altersfestsetzung, der Festsetzung der Kinderzahl sehr viele Lücken entstanden seien, die von arbeitsunwilligen Frauen zur ‹Drückebergerei› benützt werden könnten . . . Bei vielen Arbeitsämtern wurde bereits von Frauen und Mädchen aller Volksschichten vorgesprochen, die zu beweisen versuchten, daß sie für die Erfassung nicht in Frage kommen . . . Unter den vorsprechenden Frauen seien heute schon solche feststellbar, die sich durch ärztliches Zeugnis in irgendeine Krankheit ‹flüchten› würden . . . Darüber hinaus werden seitens verantwortungsbewußter Volksgenossen auch an die vielen Möglichkeiten des ‹Scheineinsatzes› von Frauen bei Verwandten und Bekannten gedacht, der lediglich die Erfüllung der gesetzlichen Arbeitsdienstpflicht ‹vortäuschen› könne.»

Tatsächlich wurden von den gut drei Millionen «Sauckelfrauen» nur etwas über 900000 in der Wirtschaft untergebracht. «Der Gedanke an das große Ziel des Krieges und die Kriegsgemeinschaft» blieb einer Vielzahl der Frauen weiterhin fremd.

1944 sollten wirklich alle Frauen erfaßt werden. Goebbels, seit Juli Sonderbevollmächtigter für den totalen Kriegseinsatz, setzte die Beseitigung von Scheinarbeit und die Heraufsetzung des arbeitspflichtigen Alters der Frauen von 45 auf 50 Jahre durch. Behörden und Verwaltungen mußten 30 Prozent ihrer Kräfte an die Kriegswirtschaft abgeben, Theater und Restaurants wurden geschlossen. Mehr noch: Frauen wurden nun auch in die Wehrmacht aufgenommen. Der immer bedrohlichere Mangel an Soldaten führte dazu, daß zum Beispiel im Oktober 1944 die Scheinwerferbatterien mit weiblichen Kräften besetzt wurden. Kurz vor Kriegsende entschloß sich Hitler sogar noch zur Aufstellung eines Frauenbataillons. 1935 hatte er noch erklärt: «Die Frau hat auch ihr Schlachtfeld. Mit jedem Kind, das sie der Nation zur Welt bringt, kämpft sie ihren Kampf für die Nation.» Jetzt versprach er sich von einem Frauenbataillon «eine Beschämung der nicht mehr kämpfen wollenden Soldaten».

«Verpflanzung nach auswärts»

Arbeiterschaft im Krieg

Der Krieg verschärfte den Arbeitskräftemangel: Wer gegen den Feind geschickt wurde, fehlte in der Produktion. Die Rüstungsbetriebe bemühten sich daher, ihre Facharbeiter durch Unabkömmlichkeits-Bescheinigungen (Uk-Stellungen) vor dem Waffendienst zu bewahren. Das Rüstungskommando Nürnberg meldete im März 1940:

«Durch Uk-Stellungen in verstärktem Maße wurde erreicht, daß die in den Betrieben befindlichen Leute größtenteils dort verbleiben konnten. Von den rund 3500 Arbeitskräften, deren Zurückholung aus der Truppe . . . beantragt wurde, waren bis Ende Januar 1940 43 Prozent, Ende Februar 70 Prozent und Ende März 78 Prozent zurückgekehrt.»[77]

Durch den Einfluß der «Betriebsführer» auf die Uk-Stellungen wurde ihre sowieso schon starke Position gegenüber den Arbeitern noch mehr gefestigt. Jetzt konnten sie «ungeeignete Arbeitskräfte» ins Feld schicken. Das Rüstungskommando Augsburg stellte im September 1940 fest, «daß zahlreiche Gefolgschafter auf dem Wege der Löschung der Uk-Stellung freigegeben werden, obwohl die eingereichten Personalbedarfsmeldungen einen erheblichen Sofortbedarf und Bedarf in den nächsten drei Monaten anzeigen. Bei Nachprüfung ergab sich, daß die Betriebe die Löschung der Uk-Stellungen beantragen, um fachlich oder sonstwie ungeeignete Arbeitskräfte abzustoßen . . . Beispielsweise wurden in den letzten sechs Wochen durch Messerschmitt AG allein 250 Gefolgschafter auf dem Weg der Löschung der Uk-Stellung freigegeben, von denen 125 (meist Facharbeiter) zur Wehrmacht eingezogen wurden und dadurch dem Arbeitseinsatz verlorengingen . . .»

Neben den Uk-Stellungen nahmen die Zwangsverpflichtungen von Arbeitern durch die Arbeitsämter und ihr Einsatz in kriegswichtigen Betrieben einen bedeutenden Umfang an. Zu den neuen Bedingungen der Kriegswirtschaft gehörte schließlich die noch strengere Überwachung aller Rüstungsfirmen durch die Gestapo. Im November 1939 berichtete der Regierungspräsident von Ober- und Mittelfranken, daß «zwanzig Personen wegen Vergehens gegen die Verordnung über die Sicherstellung des Kräftebedarfs für Aufgaben von besonderer staatspolitischer Bedeutung vom 13. Februar 1939 festgenommen wurden. Nach Erstattung von Strafanzeige wurden sie dem Ermittlungsrichter zur Haftfragelösung überstellt: gegen alle

166

zwanzig Festgenommenen wurde richterlicher Haftbefehl erlassen. Das Amtsgericht Nürnberg hat nun neuerdings gegen solche Beschuldigte empfindliche Freiheitsstrafen ausgesprochen und ist in einem Falle sogar zu einer Verurteilung von acht Monaten gekommen.

Außer diesen Personen wurden im Berichtsmonat noch insgesamt 31 Personen zur Prüfung ihrer Arbeitswilligkeit jeweils für einige Tage in Polizeihaft genommen. Bei ihnen handelt es sich um Arbeitskräfte, die nicht im Sinne der Dienstpflichtverordnung vom 13. Februar 1939 zur Arbeitsleistung verpflichtet sind, die jedoch mehrmals entweder grundlos oder aus nichtigen Gründen an ihrem Arbeitsplatz fehlten.»

Klagen dieser Art häuften sich. Die staatlichen Stellen sahen nur einen Ausweg: den Druck auf die Arbeiter zu verschärfen. Im Kriegstagebuch des Nürnberger Rüstungskommandos findet sich unter dem 31. März 1940 folgende Notiz:

«... Bei den Dienstverpflichtungen haben sich wiederholt Schwierigkeiten ergeben. Da im Rahmen des erweiterten Munitionsprogramms künftig in noch weitgehenderem Maße von der Zuweisung der benötigten Arbeitskraft durch Dienstverpflichtungen Gebrauch gemacht werden muß, würden zur Aufrechterhaltung der Arbeitsdisziplin in den Betrieben schärfere Strafmöglichkeiten zu erwägen sein ...»

Aus dem gleichen Jahr stammt der Bericht der Rüstungsinspektion XII/Nürnberg:

«... Um die Schwerpunkte der Rüstung mit den erforderlichen Kräften zu versorgen, mußten die Arbeitsämter zunächst Facharbeiter und späterhin auch Hilfsarbeiter aus Werken mit kriegswirtschaftlich weniger bedeutender Fertigung herausziehen und für Rüstungsbetriebe verpflichten. Soweit Dienstverpflichtungen am gleichen Orte vorgenommen wurden, ergaben sich in der Regel keine besonderen Schwierigkeiten, anders bei Verpflanzung nach auswärts. Schon im November 1939 klagten Betriebsführer über stimmungsmäßig sehr nachteiligen Einfluß solcher Gefolgschaftsmitglieder auf die Stammbelegschaften. Auch die Leistungen waren zum Teil unbefriedigend. Gelegentliches Eingreifen der Gestapo bei Arbeitsunwilligen ... und das Inhaftnehmen für die Zeit von Sonnabend bis Montag früh erwies sich als sehr heilsam. Wenig Erfolg brachte die seit Ende Januar 1940 eingeführte Neuregelung, wonach der Treuhänder der Arbeit sich mit solchen Fällen zu befassen hat. Dieser neue Weg löst ein langwieriges Verfahren aus. Wird dann eingeschritten, so meist spät und in einer Form, die von Betroffenen kaum als Strafe empfunden wird ...

Nur scharfes und schnelles Durchgreifen bzw. Wiedereinschalten der Gestapo in Fällen böswilligen Verhaltens von Gefolgschaftsmitgliedern, kann in Zukunft Ordnung in den Werken und damit ungestörten Weiterlauf der Kriegswirtschaft gewährleisten . . .»

Mehrarbeit ohne mehr Lohn – soweit ging der Patriotismus der Arbeiter nicht. «Bei großen Teilen der Arbeiterschaft» diagnostizierte die Rüstungsinspektion Ende 1940 «eine steigende Unzufriedenheit mit den als unzulänglich bezeichneten Löhnen»:

«Die Aufhebung des Verbots der Lohnzuschläge für Mehrarbeit hatte bei den Gefolgschaftsmitgliedern zunächst freudige Zustimmung gefunden und den Willen zur Arbeit gefördert. Ausschlaggebende Mehrleistungen konnten allerdings nicht festgestellt werden, da die Gefolgschaft der Rüstungsbetriebe im allgemeinen schon sehr angespannt arbeitet. Bei genauer Betrachtung der Verhältnisse zeigten sich jedoch Härten, die nicht mit der Aufhebung des Verbots bezweckt sein konnten. Der Mehrarbeitszuschlag wird in manchen Fällen durch erhöhte Lohn- und Kriegssteuern der nächsthöheren Steuerstufe nicht nur voll aufgezehrt, sondern Arbeiter oder Angestellte erhalten, wenn sie ledig oder kinderlos verheiratet sind, trotz Mehrarbeitszuschlag weniger als früher ausgezahlt . . . Eine derartige Sachlage hat verständlicherweise große Enttäuschung bei den betroffenen Teilen der Belegschaft hervorgerufen . . .»

Steigende Preise verstärkten diese «Enttäuschung» noch. Der Regierungspräsident von Oberbayern am 10. März 1941:

«Eine Belastung für die Volksstimmung bildete . . . das langsame, aber ständige Ansteigen der Preise für eine Reihe von Gegenständen des täglichen Bedarfs. Da die Lohnhöhe naturgemäß gleich bleiben muß, liegt hierin eine nicht zu verkennende Gefahr . . .»

Im November meldete der Regierungspräsident sogar, «daß sich die uk-gestellten Gefolgschaftsmitglieder zum Heeresdienst drängen, da der Familienunterhalt höher liege als der Arbeitsverdienst . . .»

Die Überbeanspruchung der Arbeiter war so groß, daß sogar Parteistellen Verständnis für «Verstöße gegen die Arbeitsdisziplin» aufbrachten. Im Februar 1942 schrieb die NSDAP-Kreisleitung Ausgsburg-Stadt:

«Die Arbeitszeit geht vielfach über das normale Maß hinaus und liegt im Durchschnitt bei ca. 56 bis 58 Stunden, einzelne Betriebe arbeiten bis zu 70 Stunden . . .»

Und die NSDAP-Kreisleitung Augsburg-Stadt meinte:

«Von Zeit zu Zeit (werden) Bummeltage gemacht, jedoch darf gegen diese Erscheinung nicht immer mit Schärfe vorgegangen werden, weil mancher Arbeiter tatsächlich so in Anspruch genommen ist, daß er einfach gezwungen ist, von Zeit zu Zeit einen oder zwei Tage auszuruhen, um nicht ganz zusammenzubrechen.»

Die für die letzte Kriegsphase – ab 1943 – zur Verfügung stehenden Berichte sind spärlicher, lückenhafter und schablonenhafter als in den vorangegangenen Jahren. Die Lage der gewerblichen Arbeiterschaft wurde, diesen Berichten zufolge, in den letzten Jahren des Krieges vor allem von folgenden Faktoren bestimmt: weiter anwachsende Anforderungen, schlechtere Ernährung und Versorgung, Heranziehung zu Luftschutz, Stadt- und Landwache, in den bombengeschädigten Orten häufig auch Obdachlosigkeit und provisorische Unterbringung in Behelfsheimen. Einige charakteristische Stimmen:

Das Rüstungskommando Nürnberg am 31. August 1943:

«... Die Luftangriffe vom 10./11. und 27./28. August wirkten sich teilweise besorgniserregend aus. Viele Arbeitskräfte erschienen tagelang nicht zur Arbeit, viele versuchten in nichtgefährdete Gebiete abzuwandern, so daß erhebliche Fertigungsausfälle zu verzeichnen waren. Der Gedanke, aus den total- und teilweise beschädigten Firmen Arbeitskräfte zur Umsetzung zu gewinnen, konnte kaum in die Tat umgesetzt werden, da diese Kräfte für die Aufräumung, Umsetzung und Verlagerung meist selbst wieder dringend benötigt wurden ...»

Der Regierungspräsident von Niederbayern und der Oberpfalz am 10. Juni 1944:

«... In manchen Zweigen der Industrie ist die Arbeitslast fast unerträglich geworden. In den Eisen- und Stahlwerken wurde die Arbeitszeit zum Teil auf zwölf Stunden verlängert. Dabei haben viele Arbeiter noch Anmarschwege von fünf bis fünfzehn Kilometer zur Arbeitsstelle zurückzulegen und müssen meist noch eine kleine Landwirtschaft betreuen. Es ist verständlich, daß eine solche Überbeanspruchung Mißstimmung erregt ... Die Dienstverpflichtung deutscher Arbeitskräfte kann vielfach nur noch mit polizeilichem Zwang durchgeführt werden ...»

Der Regierungspräsident von Oberbayern am 6. September 1944:

«... Insbesondere Arbeiter aus der Landsberger Rüstungsindustrie suchten auf eigene Faust Arbeitsplätze auf dem Lande. Es dauert oft wochen-, ja monatelang, bis man dieser Flüchtlinge wieder habhaft wird ... Die Verlagerung von Betrieben von der Stadt auf das Land geht weiter. Die Schwierigkeiten für die Unterbringung der Gefolgschaftsmitglieder nehmen zu, da in einzelnen Orten und Bezirken geradezu eine Übervölkerung festzustellen ist und alle einigermaßen geeigneten Räume besetzt sind ...»

Versorgung

«Wieder einmal einen echten Schinken sehen und riechen,
das möchte ich.»
(Aus: Kurt Halbritter: Adolf Hitlers Mein Kampf)

Zwangswirtschaft geht in die Brüche

Der Bauer denkt zuerst an sich

Schon einige Wochen vor dem 1. September 1939 merkten Deutschlands Landwirte, was bevorstand: Der Krieg kündigte sich bei ihnen dadurch an, daß ihnen Arbeitskräfte entzogen wurden, Pferde in die Verwaltung des Heeres übergingen und ihr Treibstoffkontingent beschnitten wurde. Ein schlechter Auftakt für die Aufgabe, die Deutschen ausreichend mit Lebensmitteln zu versorgen. Spürbar war die veränderte Lage in allen agrarischen Gebieten des Reiches, so auch in Franken. Im ersten Kriegsmonat gab die Gendarmerie-Station Muggendorf folgende Einschätzung:

«. . .Trotz der verschiedenen Einberufungen hat sich ein besonderer Arbeitermangel in der Landwirtschaft noch nicht gezeigt. Es sind aber verschiedene Fälle vorgekommen, wo die einzige männliche Arbeitskraft eingezogen wurde. Die Verwandten und auch Ortsangehörigen haben aber so viel Verständnis, daß sie solchen Familien mit Rat und Tat zur Seite stehen. Auf mehr Schwierigkeiten stieß der Einzug der Pferde aus verschiedenen landwirtschaftlichen Betrieben. Große Anwesen mit über 100 Tagwerk Grundbesitz haben durch die Wegnahme der Pferde nicht ein einziges Anspanntier . . . Verschiedentlich wurde schon auf die Anschaffung von Ochsengespannen übergegangen. Einige solche große Besitzungen wie Sonsel in Störnhof und Krämer in Oberfelldorf haben sich Zugmaschinen beschafft. Gleiches geschah durch die Gemeinde Streitberg . . .»[78]

Typisch war das Verhalten der Landbewohner, über das das Bezirksamt Ebermannstadt am 30. September berichtete:

«. . . In der bäuerlichen Bevölkerung sind beachtliche Inflationsbefürchtungen aufgetaucht . . . Sie äußern sich in ziemlich ausgedehnten Kündigungen von Spareinlagen bei der Kreissparkasse und in einer Flucht in die Realwerte, so daß die unsinnigsten Sachen auf Vorrat gekauft werden, wie Regenschirme, Weckgläser, Fahrräder, Gummireifen, Düngergabeln, landwirtschaftliche Kleingeräte, bezugscheinfreie Kinderwäsche usw. . . . Ein Hamstern von Lebensmitteln war vorerst nur in ganz geringem Maße festzustellen . . .»

Die rechte Stimmung blieb in der bayrischen Provinz trotz der siegreichen Vormärsche der deutschen Wehrmacht aus; dazu waren die konkreten Auswirkungen der Kriegswirtschaft zu offensichtlich, wie auch die Gendarmerie-Station Aufseß Ende 1939 feststellen mußte:

«Beim Großteil der Bevölkerung des hiesigen Postenbezirks ist keine Kriegsbegeisterung vorhanden. Vor allem sind die Bauersleute ziemlich gegen den Krieg eingestellt. Diese Mißstimmung verursachen naturgemäß jene Familien, bei denen die Hauptarbeitskräfte zum Heer eingezogen worden sind. . . . So kommt es auch häufig vor, daß aus reiner Verärgerung Angehörige von Wehrpflichtigen, meist aus dem Bauernstand, mit ihrer Wirtschaftsbeihilfe nicht zufrieden sind, obwohl ihre Familien hinsichtlich Ernährung voll und ganz gesichert sind. Einen Unterschied zu einer Handwerker- oder Arbeiterfamilie, die ohne Grundbesitz ist und alles kaufen müssen, wollen sie einfach nicht gelten lassen.»

Auch der Gendarmerie-Kreisführer konnte in seinem Jahresschlußbericht kein ungetrübtes Bild zeichnen:

«Die Heuablieferung an die Wehrmacht stößt da und dort auf Schwierigkeiten. Die Bauern suchen sich vielfach dieser Auflage zu entziehen. Vereinzelt mußten deshalb Ortsbauernführer und Gendarmerie nach dem Rechten sehen . . . Besonders lebhaft sind die Klagen über mangelnde Belieferung der Landbevölkerung mit Schuhwaren. Der Verbrauch der Jurabauern an Schuhwaren ist bei der steinigen Beschaffenheit der Böden sowie bei der Berglage der Fluren ein wesentlich größerer als anderwärts.»

Etwas gemildert wurde zumindest das Problem der fehlenden Arbeitskräfte in der Landwirtschaft, nachdem polnische und ab Sommer 1940 auch französische Gefangene zwangsweise eingesetzt wurden. Kaum war eine Sorge in den Hintergrund gedrängt, gewann eine andere an Bedeutung. Der Monatsbericht der Gendarmerie-Station Aufseß vom 26. Januar 1941 malte ein düsteres Bild:

«Hinsichtlich der vielen Uk-Stellungen und sonstigen Zurückstellungen der großen Bauernsöhne wird seitens der Arbeiterschaft und von den kleinen Landwirten viel räsoniert und geschimpft. Es wird erklärt, daß gerade jene großen Bauern, die was zu verteidigen hätten, sich ihrer vaterländischen Pflicht entziehen wollen. Es entstehen hierbei unglaubliche Feindschaften unter der Bevölkerung, die sich auch gegen die Gendarmerie auswirken, weil man diese hinsichtlich Genehmigung der Zurückstellungsgesuche etc. verantwortlich macht bzw. machen will. Man hört auch sagen, es sollen nur die Staatsbeamten hinaus und sollen Krieg führen. Von einer Volksgemeinschaft kann keine Rede sein. Jeder denkt nur an seinen eigenen Vorteil, so daß die Wehrhaftigkeit voll und ganz ausscheidet. Den Bauern ihr Vaterland ist nur der eigene Hof, sie verstricken sich hierbei im Drahtverhau einer kleinlichen Enge, so daß sie das Große übersehen und nicht würdigen können . . .

In letzter Zeit werden seitens der Landesbauernschaft Bayreuth im Einvernehmen und unter Beiziehung der Ortsbauernführer Stallkontrollen wegen Milch- und Butterablieferung durchgeführt. Jene Bauern, die ihrer Lieferpflicht nicht nachkommen bzw. auf Grund ihres Viehbestands zu wenig abliefern, sollen unter Zwangsaufsicht gestellt werden.»

Je länger der Krieg dauerte, desto klarer wurden die Probleme an der Heimatfront beim Namen genannt. Der Landrat in Ebermannstadt notierte:

«An Stelle allgemeiner Redensarten bringe ich heute mal einen Ausschnitt über die Arbeitsverhältnisse in einem Dorf, das ich willkürlich herausgesucht habe. Dieses Dorf weist weder nach der einen noch nach der anderen Seite außergewöhnliche Verhältnisse auf, es kann somit als Durchschnittsbeispiel gewertet werden. Aus dieser Tatsachenschilderung kann dann der Stand des Stimmungsbarometers dieser abgerackerten Bauersleute von selbst errechnet werden.

Die Ortschaft Kanndorf, Gemeinde Wohlmannsgesees, auf einer Jurahöhe links der Wiesent, besteht aus zehn landwirtschaftlichen Betrieben. Darunter sind sieben Erbhöfe. Die gesamte nutzbare Fläche beträgt 83 Hektar. Zur Bewirtschaftung dieser Grundstücke stehen an erwachsenen männlichen vollwertigen Arbeitskräften zwischen zwanzig und sechzig Jahren lediglich zwei Mann zur Verfügung; außerdem gehören dem männlichen Geschlecht noch zwei Burschen von je sechzehn Jahren, zwei Austragler und ein Kind an. Noch deutlicher wird dieses Bild, wenn zwei Erbhöfe herausgegriffen und gesondert untersucht werden. Das Anwesen Hs. Nr. 3 mit einer landwirtschaftlichen Nutzfläche von 10,60 Hektar und einem Viehbestand von einem Pferd, sechs Rindern und drei Schweinen wird bewirtschaftet von der Bäuerin mit ihren drei Töchtern. Ihre übrigen Kinder, vier Söhne, sind bei der Wehrmacht. Der Bäuerin des Anwesens Hs. Nr. 9 mit 64 Jahren stehen zur Bewirtschaftung einer landwirtschaftlichen Nutzfläche von 8,40 Hektar mit fünf Kühen, drei Jungrindern und sechs Schweinen lediglich ihre einundzwanzigjährige Tochter und ein vierzehnjähriges Pflichtjahrmädel zur Seite. Ihre fünf Söhne sind bei der Wehrmacht.

Bei einer solchen Sachlage ist es nicht schwer zu erraten, welche Gedankengänge in dem Gehirn einer solchen Bäuerin wohl vor sich gehen dürften, wenn auf sie durch den Rundfunk, von der Presse, in Aufrufen, bei Versammlungen usw. eingehämmert wird mit den Schlagworten von äußerster Kraftanstrengung, Dorfgemeinschaft, Mobilisation der letzten Arbeits- und Leistungsreserven, erweitertem Ölfrüchtebau, vermehrtem Rapsanbau, Flachsanbau, ausgedehntem Feldgemüsebau, Pflanzung von Beerensträuchern, erhöhtem Kartoffelanbau usw. Eine solche Bäuerin würde sich wundern über die vielen Faulenzer, die es noch geben muß, wenn ihr der Leitartikel von Reichsminister Dr. Goebbels in der letzten Ausgabe Nr. 4 der Wochenzeitung *Das Reich* vor die Nase gehalten würde, wonach ‹die Menschen zu Hause geradezu darauf warten, angerufen und angesetzt zu werden›. Vielmehr gehören diese Bäuerinnen mit ihren Hilfsarbeiterinnen zu jenen verbrauchten und abgehetzten Leuten, die, wenn es länger so weiter geht, eines Tages einfach liegen bleiben, ähnlich wie ein übermäßig beanspruchter Gaul in den Tauen zusammensinkt und dann schleunigst ausgespannt und weggeschafft werden muß, damit er den anderen, die noch weiter hasten müssen und können, nicht im Weg ist. Diesen Gaul machen dann weder Überlandkommandos noch Landwachen noch Aufpeitscher noch Eintreiber wieder lebendig.

Das ist die Schilderung des Kräfteverschleißes in der Landwirtschaft.»

Einen weiteren Fall schilderte der Gendarmerie-Kreisführer am 28. März 1942:

... «Die Frage der Uk-Stellung einzelner Betriebsführer bildet immer wieder die Ursache heftiger Gegensätze. Zu welcher Leidenschaft sich hierbei die Zustände entwickeln können, lehrt ein Fall in Kanndorf, Gemeinde Wohlmannsgesees. Dort führt die Bauernfrau Anna Sponsel, Hs. Nr. 1, ein 60 Tagwerk großes landwirtschaftliches Anwesen, unterstützt von ihrer achtzehn Jahre alten Schwägerin. Da die bisher unternommenen Versuche, ihren bei der Wehrmacht stehenden Ehemann freizubekommen, aussichtslos blieben, während andererseits der Nachbar der Sponsel, der Bauernsohn Johann Wolf, vom Wehrbezirkskommando Bayreuth zur Feldbestellung entlassen wurde, suchte die Sponsel mit Gewalt die Uk-Stellung ihres Mannes zu erzwingen.

Zu diesem Zweck verließ sie am 22. März mittags mit ihren beiden Kindern das Anwesen, begab sich zu ihrem Vater nach Moggast, die Schwägerin folgte am nächsten Morgen. Das Vieh und das Hauswesen blieb sich selbst überlassen. Das Angebot, den Betrieb mit einem ihr zur Verfügung gestellten Dienstknecht fortzuführen, wurde zurückgewiesen. Dem Bürgermeister blieb zunächst nichts weiter übrig, als das Vieh durch die Nachbarn versorgen zu lassen. Inzwischen ist es durch die Mitwirkung aller beteiligten Dienst- und Parteistellen gelungen, die durch eine vorausgegangene Entbindung körperlich und seelisch recht mitgenommene Frau Sponsel zur Rückkehr zu

176

veranlassen. Der Fall zeitigte aber trotzdem in der weiteren Umgebung beträchtliches Aufsehen. Die Gefahr, daß dieser Vorgang auch anderwärts Schule macht, ist gegeben . . .»

Das System der Zwangswirtschaft, das die heimische Landwirtschaft befähigen sollte, Deutschland während des Krieges mit Lebensmitteln zu versorgen, wurde immer brüchiger. Schilderungen aus dem Kreis Ebermannstadt:

«. . . Der Geldumlauf auf dem Lande wird ständig höher. Eng verbunden damit ist einerseits eine krankhafte Kaufsucht und andererseits die Neigung des Bauernstands, an Stelle des Geldes, dessen innerer Wert vielfach angezweifelt wird, die erzeugten Waren selber zurückzuhalten und legiglich als Tauschmittel von Fall zu Fall abzugeben. Ein Mißstand, der unter Umständen ernste Folgen zeitigen muß. So ist schon heute bekannt, daß trotz des für die Landwirtschaft eingeführten Prämiensystems die Lieferunlust beträchtlich um sich greift . . . Schleichhandel, Hamstertum und Wucherpreise steigen mit Fortdauer des Krieges immer mehr an.»

Leidtragender war vor allem die Bevölkerung in den großen Städten, aber auch auf dem Lande nahm der Unmut zu, wie der Landrat Anfang November 1942 zugeben mußte:

. . . «Die Landbevölkerung ist in steigendem Maße darüber verbittert, daß der Tauschhandel immer schlimmere Folgen annimmt und kein Handwerker, ferner aber auch kein Geschäft in der Stadt an Landleute mehr verkaufen will, wenn nicht an Stelle von Bargeld Lebensmittel aller Art hergegeben werden . . . Bezüglich der Apfelernte in Pretzfeld und Umgebung kann ohne Übertreibung festgestellt werden, daß rd. 95 Prozent der für den Absatz bestimmte Obsterträge verbotswidrig vom Erzeuger unmittelbar an Verbraucher verkauft wurden, und zwar unter Überschreitung der Höchstpreise um mindestens 100 bis 200 Prozent.»

Ende 1942 beschrieb der Landrat die Folgen der ständig steigenden Anforderungen an die Bauern, alle Kräfte für die Versorgung der Bevölkerung einzusetzen:

«. . . Der Apothekeninhaber in Ebermannstadt hat mitgeteilt, daß ihm in letzter Zeit die gesteigerte Nachfrage nach Schlafpulver und Nervenmitteln, und zwar hauptsächlich aus bäuerlichen Kreisen heraus, aufgefallen sei. Das ist eine neuerliche Bestätigung der Begründetheit meiner schon vor längerer Zeit ausgesprochenen Warnung, daß es keinen Sinn hat, von den Menschen andauernd und immer wieder noch größere Arbeitsleistungen zu fordern, die Arbeitszeiten zu verlängern und die Ruhepausen, Erholungs- und Urlaubszeiten zu verkürzen. Solche drakonischen Maßnahmen können nur angewandt werden, wenn sich diese äußersten Kraftanstrengungen nur auf eine verhältnismäßig kurze Zeit zu erstrecken haben. Eine längere Kriegsdauer erfordert aber zwangsläufig eine längere Ausdauer und damit ein haushälterisches Umgehen nicht bloß mit mechanischen, sondern auch mit den menschlichen Arbeitsmaschinen. Deshalb sind die Hauptmerkmale der derzeitigen Gemütsverfassung Übermüdung, Gleichgültigkeit, Schwermütigkeit, Abgestumpftheit gegenüber allen dagegen ankämpfenden propagandistischen Versuchen, Mißtrauen gegen die Richtigkeit und Vollständigkeit der Presse- und Rundfunknachrichten . . .»

Das System des «Reichsnährstandes» geriet weiter aus den Fugen, wie der Landrat Anfang Februar 1944 eingestehen mußte:

«Die früher üblichen Märkte in Ebermannstadt und Hollfeld wurden schon seit vielen Monaten nicht mehr beliefert und besucht. Der Handel mit Ferkeln wird zur Zeit fast nur im ‹Vorbeifahren› oder von Stall zu Stall betätigt. Weder Händler noch Verkäufer verraten den bezahlten Preis . . .»

Und der Gendarmerie-Kreisführer ergänzte am 29. Februar 1944:

«Die Verhältnisse auf dem ländlichen Arbeitsmarkt wurden durch neue Einberufungen zur Wehrmacht abermals verschlechtert. So wurde der Landwirt Fritz Taschner in Dürrbrunn zur Wehrmacht einberufen. Derselbe hat vier Kinder im Alter von sieben Jahren bis vier Monaten. Sein Besitz umfaßt 15 Hektar, davon 10 Hektar Anbaufläche. Obwohl fünf Kühe, zwei Jungrinder und vier Schweine vorhanden sind, fehlt der Frau jede Hilfskraft . . . Da nebenher immer wieder Ostarbeiter und Ukrainer für die Waffen-SS geworben werden, sinkt auch die Zahl der Gesindekräfte . . . Die Gemeinschaftshilfe, die in den ersten Kriegsjahren immerhin beachtliche Erfolge aufzeigen konnte, sinkt mit der geringeren Zahl uk-gestellter Männer, die ja in der Hauptsache die Träger dieser Einrichtung waren, auch weiter ab.»

Die «Härtefälle» häuften sich:

«In Eschlipp wurde der Bauer Karl Dicker einberufen. Dessen 34 Jahre alte schwächlich gebaute Ehefrau mit ihrem sechs Jahre alten Kind soll das Anwesen mit sechs Stück Großvieh, mit Schweinen und Geflügel allein bewirtschaften. – Im gleichen Ort ist die Bierwirts- und Kriegerwitwe Anna Fuchs mit ihrem kleinen Kind ohne jede Hilfe. Dazu bedarf der baufällige Stall der Erneuerung. Gemeinschaftshilfe steht in der kleinen Gemeinde nicht mehr zur Verfügung. In Niederfellendorf, Gemeinde Streitberg, steht der Bauer Hans Nützel vor der Einberufung. Zur Bewirtschaftung seines Hofes ist gegebenenfalls außer der Ehefrau, welche krank ist, nur eine Ostarbeiterin zur Verfügung. – In Voigendorf, Gemeinde Albertshof, mußte der Bauer und Bierwirt Johann Schobert einrücken. Dessen Ehefrau und zwei Schwestern sollen das 100 Tagwerk große Anwesen allein bewirtschaften ... Der Betrieb kann im bisherigen Umfang nicht fortgeführt werden, da alle Versuche, eine ausländische Arbeitskraft zu erlangen, erfolglos geblieben sind», so der Gendarmerie-Kreisführer Ende August 1944.

Sicher, es fehlte an Arbeitskräften, manche Uk-Stellung war ungerecht, die physische und psychische Belastung wuchs immer stärker. Dennoch, verglichen mit dem, was die Menschen in den Großstädten des Reiches zu erleiden hatten, waren die Kriegsfolgen in der agrarischen Provinz eher harmlos. Wirtschaftlich gesehen besserte der Krieg sogar die Lage der bäuerlichen Bevölkerung. Andere Schichten darbten, die Bauern nicht. Als Selbstversorger waren sie von der Lebensmittelrationierung weitgehend unabhängig, ihre Erzeugnisse waren knapp und brachten manchen Kleinbauern zum erstenmal in ihrem Leben genügend Geld. Hier liegt vermutlich die Erklärung für den Einsatz vieler Landwirte, die bis zum Ende des Krieges ihre Felder beackerten und ihre Ernte brav ablieferten, obwohl sie oft genug im Dorfkrug über die Nazis fluchten.

«Die Nase reichlich voll»

Versorgung der Bevölkerung 1939 bis 1944

Als auf Hitlers Befehl die Wehrmacht mit dem Angriff auf Polen den Zweiten Weltkrieg einleitete, war für über zwei Jahre das Deutsche Reich kein Kampfgebiet, Bomben fielen nur vereinzelt. Erst ab Juni 1943 setzten massive Luftangriffe auf Industriegebiete und Großstadtzentren ein. Die Zivilbevölkerung bekam jedoch nicht erst in dieser bereits lebensbedrohenden Phase den Krieg zu spüren. Schon vom ersten Tag des Septembers 1939 wurde schrittweise die Versorgung der Heimatfront mit Kleidung, Hausbrand und Waren des täglichen Bedarfs eingeschränkt. Die Vernachlässigung der Produktion für den privaten Verbrauch zugunsten des Krieges führte schon bald zu Engpässen in der Lebensmittelzuteilung, ehe im vorletzten Kriegsjahr die Rationen so klein wurden, daß ohne «stille Reserven» mancher Deutsche hungrig ins Bett mußte.

Einen ungeschminkten Einblick in die Versorgung der Bevölkerung während der Kriegsjahre 1939 bis 1944 gaben die geheimen Lageberichte des Sicherheitsdienstes der SS, die in den Berliner Amtsstuben als Stimmungsbarometer eifrig studiert wurden.[79]

Seit Kriegsbeginn wurden Textilien und Schuhe nur gegen Bezugsscheine ausgegeben, die bei den Wirtschaftsämtern zu beantragen waren. Die Verordnung über die Verbrauchsregelung für Spinnstoffwaren vom 14. November 1939 behielt dieses Verfahren für Schuhe, Mäntel und Berufskleidung bei, während die Kleiderkarte dem Verbraucher durch ein Punktsystem die Wahl ließ, welche Gegenstände er bis zu einem bestimmten Umfang anschaffen wollte.

«6. Nobember 1939
... Mit wachsender Ungeduld wird von der Bevölkerung die Ausgabe der Reichskleiderkarte erwartet ... Inzwischen ist auf die Gefahren hingewiesen worden, die sich aus der Neuordnung der Spinnstoff-

Zur Vermeidung von Nachteilen
sorgfältig durchlesen!

Merkblatt für Verbraucher

über den Bezug von Lebensmitteln, Seife, Hausbrandkohle, Spinnstoffwaren und Schuhwaren

1. Bezugscheinpflicht.

Um eine gerechte Verteilung an alle Verbraucher sicherzustellen, ist durch Verordnung vom heutigen Tage mit sofortiger Wirkung für folgende lebenswichtigen Verbrauchsgüter eine allgemeine Bezugscheinpflicht eingeführt worden:

1. Brot und Mehl;
2. Kartoffeln;
3. Fleisch und Fleischwaren;
4. Milch;
5. Milcherzeugnisse, Öle und Fette;
6. Eier;
7. Zucker und Marmelade;
8. Hülsenfrüchte;
9. Graupen, Grütze, Grieß, Sago und sonstige Nährmittel;
10. Kaffee, Tee, Kakao und deren Ersatzmittel;
11. Seife, Seifenpulver und andere fetthaltige Waschmittel;
12. Hausbrandkohle;
13. Spinnstoffwaren;
14. Schuhwaren und Leder zur Ausbesserung und Besohlung von Schuhen.

Diese Waren dürfen nur noch gegen Bezugscheine bezogen werden. Bezugscheine sind behördliche Bescheinigungen über die Bezugsberechtigung der Verbraucher.

Bezugscheine gewähren keinen klagbaren Anspruch auf Lieferung bezugscheinpflichtiger Waren. Jedoch darf der Handel bezugscheinpflichtige Waren nicht zurückhalten; er ist nach Maßgabe seiner Bestände zur Lieferung verpflichtet. Preiserhöhungen — auch mittelbare — sind verboten.

bewirtschaftung ergeben können . . . besonders der Bedarf der Arbeiterschaft könne durch das vorgesehene Punktsystem nicht gedeckt werden . . . [Es] würden auch Härten dadurch entstehen, daß Anrechnungen auch in den Fällen vorgenommen würden, in denen ein dringendes und oft zusätzliches Bedürfnis (Krankheit, Schwangerschaft usw.) für den Antrag vorlag. Inzwischen greift die Mißstimmung innerhalb der Bevölkerung über die unzureichende Zuteilung bzw. die totale Sperre in der Bezugsscheinausgabe immer weiter um sich. Die Stimmung innerhalb der Landbevölkerung ist . . . geradezu katastrophal infolge der absolut ungenügenden Zuteilung von Arbeitsschuhen an die bäuerliche Bevölkerung. Bei den Ernährungsämtern gehen täglich Drohbriefe schlimmster Art ein. Aber auch aus anderen Teilen des Reiches wird gemeldet, daß der derzeitige Zustand in der Textil- und Lederversorgung in unzureichendem Maße zu scharfen Zusammenstößen zwischen der Bevölkerung und den Verwaltungsstellen führt . . .

Auf dem Lebensmittelmarkt halten trotz der Erhöhung des Butterkontingents die Klagen insbesondere aus den Industriegebieten über die ungenügende Fettzuteilung (Margarine, Speiseöl, Schmalz) weiterhin an. Als besonders schwierig wird die Lage nach wie vor für kinderreiche Familien bezeichnet, da für Kleinkinder (bis zu sechs

Jahren) außer Butter keinerlei Speisefette zugeteilt werden und demzufolge die notwendigsten Zutaten für die Speisenzubereitung fehlen.

15. Dezember 1939

Die große Kauftätigkeit der vergangenen Wochen hat dazu geführt, daß vornehmlich in den Gebieten West- und Süddeutschlands mit einem Totalausverkauf in verschiedenen Branchen des Einzelhandels gerechnet wird. Aus Düsseldorf wird hierzu gemeldet, daß in den letzten Tagen in ganz außergewöhnlichem Umfange Gegenstände aller Art von der Bevölkerung aufgekauft worden sind. Es handle sich in erster Linie um Möbel, Porzellan, Haushaltsgeräte, Radioapparate, Pelze sowie Waren des täglichen Bedarfs.

... Den Meldungen ist zu entnehmen, daß es sich überwiegend um ausgesprochene Angstkäufe handelt ... Bei all den überstürzten Käufen wird ... als Hauptursache die Furcht vor einer Geldentwertung gesehen ...

8. Januar 1940

... In Kassel ... ist der Kohlenmangel so stark ... daß Hausbrand nur noch pfund- und stückweise abgegeben wird ... In Erfurt wurden ... in den Tagen zwischen Weihnachten und Neujahr wie auch in den letzten Tagen Kohlenwagen von der Bevölkerung auf der Straße angehalten, wobei die Bevölkerung eine drohende Haltung einnahm, so daß die Polizei eingesetzt werden mußte, um zu verhindern, daß die Kohlenwagen gestürmt wurden ... In Königsberg waren eine Reihe von Haushaltungen während der Weihnachtsfesttage ohne den geringsten Vorrat von Kohle ...

18. März 1940

Aus dem gesamten Reichsgebiet liegen Meldungen vor, die besagen, daß in der Bevölkerung große Mißstimmung über die Schwierigkeiten beim Einkauf bezugsscheinfreier Waren besteht. Hierbei handelt es sich vor allem um Nahrungs- und Genußmittel, Gemüse, Obst und Südfrüchte – die für die tägliche Ernährung genauso wichtig sind, wie die der Bewirtschaftung unterliegenden Lebensmittel.

[Es] wird darauf hingewiesen, daß besonders die berufstätigen Frauen, die ihre Einkäufe regelmäßig erst in den Abendstunden tätigen können, darüber Klage führen, daß sie außer den kartenpflichtigen Lebensmitteln keine andere Ware erhalten können. Auch ein großer Kreis von Hausfrauen, die nicht über genügend Zeit verfügen, um sich zum Teil stundenlang nach irgendwelchen Waren anzustellen, sei davon betroffen ...

Die Versorgung der Bevölkerung, vorwiegend in Industriegebieten und Großstädten, mit Speisekartoffeln wird nach wie vor als unzureichend bezeichnet.

Bereits im Januar und Februar wurde darüber berichtet, daß in manchen Städten die Wochenrationen auf ca. 2 Pfd. pro Person gesunken seien.

‹Es sei zur Zeit nicht immer möglich, mehr als ein Pfund je Kopf und Woche der Verbraucherschaft zur Verfügung zu stellen.›

29. Juli 1940
Die Obstversorgungslage wird im Reich stellenweise als gut, aber überwiegend als sehr schlecht und mangelhaft bezeichnet . . .

Aus Hannover wird berichtet, daß Obst- und Gemüsepreise durchweg doppelt so hoch lägen wie im Vorjahr . . .»

Die wöchentliche Brotzuteilung für ‹Normalverbraucher› betrug ab 29. Juli nur noch 1750 statt zuvor 1900 Gramm; auch die Zulagen für Schwerarbeiter wurden gekürzt, lediglich die 10- bis 20jährigen erhielten wöchentlich 200 Gramm mehr.

«1. August 1940
In den Stimmungsberichten der vergangenen Monate und Wochen ist . . . übereinstimmend zum Ausdruck gebracht worden, daß die Brotration von den Werktätigen, einschließlich derjenigen Gruppen, die eine Sonderbehandlung erfahren haben, wie Schwer-, Lang- oder Nachtarbeiter, als unzureichend angesehen wird . . . weil diese Verbraucher . . . überwiegend auf Brotverpflegung angewiesen sind. Ein gewisser Ausgleich wurde früher dadurch erzielt, daß von diesen Kreisen im großen Umfang Kuchen und sonstiges Feingebäck als Ausgleich für die mangelnden Brotmengen und Aufstrichmittel (Fleischwaren und Fette) verzehrt wurden. Diese Möglichkeit wurde bereits nach Einführung der sogenannten Kuchenkarte (Reichsbrotkarte B) praktisch hinfällig.»

Ab 21. Oktober erhielten Normalverbraucher statt bisher 175,63 nur noch 137,5 Gramm Butter und Butterschmalz wöchentlich. Dafür wurde die Margarinezuteilung von 46,88 auf 81,88 Gramm erhöht.

«21. November 1940
[Die Bevölkerung ist besorgt über] die in der letzten Zeit zutage getretenen Schwierigkeiten in der Fleisch- und Fettzuteilung, die Kürzung der Brotrationen, die unzulängliche Belieferung der Märkte

mit Gemüse und Obst, wie auch (den) nahezu völligen Ausfall von Wild, Geflügel und Fischanlieferungen . . . auch . . . die zu beobachtende Preisentwicklung [werde] mit wachsender Unruhe verfolgt. Es werde nicht nur darüber geklagt, daß bei verschiedenen Lebensmitteln direkte Preiserhöhungen eingetreten seien, sondern vornehmlich darüber, daß die bereits seit längerer Zeit festzustellende Tendenz der Qualitätsverschlechterung bei gleichbleibenden Preisen anhalte.

30. Januar 1941

. . . Die Lebenshaltungskosten seien seit 1933 gestiegen. So betrage der Indexunterschied im einzelnen:

Gesamtindex Jan. 1933: 117,2	Dez. 1940: 130,8 Unterschied 13,6
Index für Ernährung Jan. 1933: 111,3	Dez. 1940: 126,6 Unterschied 15,3
Index für Bekleidung Jan. 1933: 106,9	Dez. 1940: 148,3 Unterschied 41,6»

In den ersten Monaten 1941 häuften sich Klagen über die unterschiedliche Versorgung von Großstädten und Landgemeinden, zum Beispiel mit Obst, und über die schlechte Qualität der zugeteilten Eier und Gemüsekonserven.

«3. April 1941

. . . Über das Anstehen vor Pferdemetzgereien wird berichtet, daß sich in der letzten Zeit einzelne Leute bereits am vorhergehenden Tage um zwanzig Uhr angestellt hätten, um dann auch wirklich am nächsten Tag zu dem begehrten markenfreien Pferdefleisch zu gelangen. Daß sich Leute ab früh drei oder vier Uhr bei Pferdemetzgereien anstellten, sei weder in Nürnberg noch Fürth mehr eine Seltenheit.»

Ab 2. Juni 1941 wurde die Fleischzuteilung von 500 auf 400 Gramm wöchentlich gekürzt. In einigen Gebieten wurden jetzt auch Kartoffeln auf Lebensmittelkarten ausgegeben, und zwar 2500 Gramm pro Woche.

«22. Mai 1941

Arbeiterfrauen gaben zum Beispiel ihrem Unwillen wie folgt Ausdruck: ‹Wir und unsere Kinder sehen in der Woche schon überhaupt kaum Fleisch, da man alles dem schwer arbeitenden Mann zugute kommen läßt.› Eine andere Äußerung, die ebenfalls in Arbeiterkreisen zu hören sei: ‹Da hat man uns erzählt, die Mengen sind so klein, damit wir fünf Jahre aushalten, und dabei reicht es schon jetzt nicht mehr.›

... Vor allem die Kartoffelknappheit verursacht besonders in Arbeiterkreisen große Schwierigkeiten. Arbeiterfrauen wüßten oft nicht mehr, was sie kochen sollten, da bei der in diesen Kreisen ohnehin bestehenden Brotknappheit ein Ausgleich mit Brot nicht mehr möglich sei.

2. März 1942

Der Mangel und teilweise das völlige Fehlen von Gemüse, Fischen, Hülsenfrüchten, Eiern und Kindernährmitteln habe im Ruhrgebiet und in Süddeutschland ... eine Stimmungsverschlechterung zur Folge gehabt.

Auf dem Gebiet der Kohlenversorgung brachte das Abflauen der Kältewelle eine Erleichterung; die neu einsetzende Kältewelle hat die Mangelerscheinungen, insbesondere im Norden und Osten des Reiches, wieder spürbarer werden lassen.»

Ab 6. April wurde die Fleischzuteilung von 400 auf 300 Gramm wöchentlich gesenkt, die Butterration betrug statt 150 Gramm jetzt 125 Gramm, statt 96,87 gab es nun 65,62 Gramm Margarine, die Brotmenge wurde von 2250 auf 2000 Gramm herabgesetzt.

«4. Juni 1942

... Nach wie vor wirken sich der Brotmangel, die für Arbeiterfamilien als zu hoch bezeichneten hohen Gemüsepreise und die Rationierung der Magermilch, die von zahlreichen Hausfrauen durch Herstellung von Mehlspeisen als wertvoller Beitrag zur Verbesserung der angespannten Ernährungslage empfunden worden war, stimmungsmäßig aus. Die Hausfrauen würden oft nur noch die eine Sorge kennen, wie sie den Hunger ihrer Familienangehörigen nach schwerer Tagesarbeit befriedigen sollten. In Arbeiterkreisen sei verschiedentlich eine verstärkte Zunahme der Klagen über ein dauerndes Hungergefühl zu verzeichnen ...

9. Juli 1942

Bei der jetzigen fettarmen Ernährung könne man – vorausgesetzt, daß es bei der als vollkommen unzureichend angesehenen Brot- und Kartoffelzuteilung überhaupt möglich sei – doppelt soviel essen als früher, ohne aber nur entfernt vor allem auf eine längere Zeitdauer das Gefühl des Gesättigtseins zu haben. In diesem Zusammenhang wird von den Volksgenossen vielfach auch über eine angebliche rapide Gewichtsabnahme gesprochen, die man an sich selbst und seinen Bekannten feststelle. Während noch im vergangenen Jahr derartige Feststellungen von humorvollen Äußerungen über den Verlust ‹überflüssigen Fettes› begleitet waren, wird nunmehr vielfach gesagt, daß die Gewichtsabnahme bereits ein spürbares Nachlassen der körperlichen Kräfte verursache und bei gleichbleibender Ernährungslage in Zukunft erhebliche Gesundheitsstörungen zu befürchten seien. In einer steigenden Anzahl der Ohnmachtsfälle von Männern und Frauen in Fabrikbetrieben und von Frauen beim Schlangestehen oder auf offener Straße glaubt man die ersten Auswirkungen der augenblicklich unzureichenden Ernährung zu sehen.

17. August 1942

In den luft[!]gefährdeten Städten des Westens, die oft mehrmals in der Nacht Luftalarm haben, wird seitens der Bevölkerung immer wieder der Wunsch nach einer zusätzlichen Lebensmittelzuteilung geäußert. Besonders kinderreiche Mütter klagen darüber, daß sie bei der augenblicklichen Zuteilung außerstande seien, den nach Beendigung des nächtlichen Luftalarms sich stets einstellenden Hunger ihrer Kinder zu stillen.»

Ab 24. August gab es monatlich statt 575 nur 500 Gramm Butter; die Zuteilung von 50 Gramm Öl und 62,5 Gramm Schlachtfetten entfiel, dafür gab es statt 125 nun 325 Gramm Margarine. In den von Luftangriffen betroffenen Gebieten wurden ab September Zusatzkarten über 50 Gramm Fleisch wöchentlich ausgegeben.

«10. September 1942

. . . In der Hauptsache befassen sich die Klagen nach wie vor mit der schlechten Qualität des Brotes, wobei zunehmend auf die sich einstellenden Folgeerscheinungen (Verdauungs- und Magenstörungen, Ermüdungserscheinungen usw.) hingewiesen wird . . .»

Ab 19. Oktober wurde die Brotzuteilung wieder auf den Stand vor dem 6. April, 2250 Gramm wöchentlich erhöht. Die Fleischzuteilung stieg um 50 Gramm in der Woche.

19. November 1942

. . . hat die Ankündigung über die Ausgestaltung der 4. Reichskleiderkarte bei einem großen Teil der Bevölkerung eine gewisse Bestürzung hervorgerufen. Die Einbeziehung kleinster Bedarfsgegenstände in das Punktesystem wird heftig kritisiert . . .

Die Abgabe von Kinderschuhen auf Kleiderkarten wurde dagegen nahezu einhellig begrüßt, obwohl man auch oft der Meinung ist, daß die Kinder innerhalb eines Jahres mehr als ein Paar Schuhe benötigten und dann eine Neuanschaffung wohl nicht bewilligt werden würde. Bei der Kleiderkarte insgesamt wird besonders auf die verlängerte Laufdauer und die geringe Punktzahl hingewiesen und daraus der Schluß gezogen, daß die Versorgungslage mit Spinnstoffen doch erheblich angespannter sei, als man dies bisher aus Reden und Zeitungsaufsätzen glaubte schließen zu können.

Die Ankündigung der Sonderzuteilung für Weihnachten hat die negativen Auswirkungen der Kleiderkarte auf dem Textilsektor nicht ganz aufzufangen vermocht.»

Die Zuteilung betrug in Essen zum Beispiel 50 Gramm Bohnenkaffee und 0,7 Liter Spirituosen für Erwachsene, 200 Gramm Fleisch, 125 Gramm Butter, 500 Gramm Weizenmehl, 250 Gramm Zucker, 125 Gramm Hülsenfrüchte, 62,5 Gramm Käse sowie 125 Gramm (für Kinder 250 Gramm) Süßwaren.

«17. Dezember 1942

Der bereits berichtete Mangel an Waren aller Art hat sich mit dem näherrückenden Weihnachtsfest noch verstärkt und in der Bevölkerung teilweise zu Unverständnis, teilweise zu Kritik geführt . . .

29. Dezember 1942

Die Weihnachtssonderzuteilungen hatten den meisten Familien Gelegenheit gegeben . . . besonders gute und ausreichende Mahlzeiten einzunehmen, um so mehr, als auch die von vielen Hausfrauen für das Fest aufgesparten Fleischmarken anstandslos beliefert worden sind.

6. Mai 1943

Trotz der verschärften Strafdrohungen . . . nimmt . . . der Tauschhandel in der letzten Zeit ständig zu.

In Zeitungsinseraten wurde vielfach versucht, für bewirtschaftete Lebensmittel andere knappe Waren zu erhalten.

20. Mai 1943

Die bisher aus einzelnen Reichsgebieten . . . vorliegenden Meldungen zur Kürzung der Fleischration lassen erkennen, daß sich . . . die diesbezüglichen Veröffentlichungen äußerst nachteilig und nahezu schockartig ausgewirkt haben . . . Die gleichzeitig . . . bekanntgegebene Erhöhung der Rationssätze bei Brot und Fett sei . . . zwar anerkannt worden, dabei werde aber betont, daß die zusätzlichen Mengen einen Ausgleich für das entfallende Fleisch nicht bieten könnten. Die 300 Gramm Brot im Monat bedeuteten eineinhalb Schnitten pro Woche, und die zwölfeinhalb Gramm Fett je Woche seien nicht der Rede wert . . .»

187

Die Fleischration wurde ab 31. Mai von 350 Gramm auf 250 Gramm wöchentlich verringert, gab es statt 2250 Gramm Brot 2325 Gramm in der Woche und in vier Wochen 50 Gramm Fett mehr.

«18. November 1943
... von den drängenden Tagesanforderungen bereiteten derzeit die Kartoffelnot und der Gemüsemangel den Frauen große Sorgen. Viele Mütter von heranwachsenden Kindern hätten schlaflose Nächte, denn ‹sie wüßten oft nicht, was sie auf den Tisch bringen sollten›. Als starke Erschwerung der Wirtschaftsführung empfänden die Frauen auch die unterschiedlichen Einkaufszeiten für Lebensmittel und Bedarfsartikel ...

Die besonderen Klagen der Frauen gelten zur Zeit der Sperrung der Kleiderkarte, wobei sie darauf hinweisen, daß die Behebung des Mangels an Strümpfen und Bettwäsche bei der jetzigen kühlen Witterung besonders dringlich geworden sei und daß auch Wollsachen unbedingt beschafft werden müßten. (Inzwischen ist den Wünschen hinsichtlich der Strümpfe durch Freigabe je eines Paares Rechnung getragen worden.)

Mit lebhafter Freude sei von den Frauen die wesentlich erhöhte Mehlzuteilung und die Ankündigung der Weihnachtssonderzuteilungen begrüßt worden ... Bedauert wurde jedoch, daß kein Fleischzuschuß vorgesehen sei ...»

In Essen gab es zu Weihnachten 1943 zusätzlich 125 Gramm Butter, 500 Gramm Weizenmehl, 250 Gramm Zucker, für Erwachsene außerdem 0,35 Liter Spirituosen, 50 Gramm Bohnenkaffee und 125 Gramm (für Kinder 250 Gramm) Süßwaren.

«16. März 1944
Die ohnehin gedrückte Stimmung wird durch die vielen sonnenlosen und naßkalten Tage nicht unwesentlich beeinflußt, zumal sie für die Frauen eine vermehrte Sorge um die Gesundheit der Kinder, die ‹dauernd erkältet› sind, mit sich brächten. Die praktischen Nöte der Frau lägen in der völlig gesperrten Reichskleiderkarte, in den Schwierigkeiten, gerade jetzt Schuhwerk und Kleidung für die Kinder zu ergänzen und in der Knappheit an Kartoffeln und Gemüse ... Zur Zeit habe ein Großteil der Bevölkerung ‹die Nase reichlich voll›.

20. April 1944
Die Stimmen, die sich besorgt über die Zukunft unserer Ernährung äußern, nehmen zu. Man frage sich vor allem, wie sich die Versorgung nach dem Verlust der wichtigen Ostgebiete gestalten werde,

nachdem aus ihnen nicht nur die Wehrmacht, sondern auch ein Teil der Zivilbevölkerung ernährt worden sei . . .»

Im September und Oktober 1944 wurde die Brotzuteilung für Normalverbraucher von 9700 Gramm auf 8900 Gramm für vier Wochen verringert, die Fettmenge von 875 Gramm auf 700 Gramm für den gleichen Zeitraum gekürzt.

Am 25. Januar 1945 wurde bekanntgegeben, daß die Verbraucher mit den für acht Wochen vorgesehenen Rationen eine Woche länger auskommen müßten. Ende Februar ging man dazu über, teilweise Rohgetreide an die Bevölkerung auszugeben, weil durch die Zerstörung der Getreidemühlen die Mehlversorgung ganzer Gebiete ausfiel. Die Reichsfrauenführung erhielt die Aufgabe, die deutschen Frauen in der Kunst des Zerkleinerns von Getreide «mittels Fleischwolf oder Kaffeemühle» zu unterweisen.

Die letzten Kriegswochen waren in vielen Städten durch Hunger gekennzeichnet, während die Landbevölkerung kaum zu leiden hatte.

Anmerkungen

1 Hans Günter Zmarzlik: Einer vom Jahrgang 1922. In: Hermann Glaser und Axel Silenius [Hg.]: Jugend im Dritten Reich. Frankfurt a. M. 1975. S. 7–9

2 Melita Maschmann: Fazit. Kein Rechtfertigungsversuch, Stuttgart 1963. S. 16, 17, 18, 22, 23

3 Werner Klose: Generation im Gleichschritt. Ein Dokumentarbericht. Oldenburg–Hamburg 1964. S. 27f

4 Arno Klönne: Gegen den Strom. Ein Bericht über die Jugendopposition im Dritten Reich. Hannover–Frankfurt a. M. 1959. S. 50

5 Inge Scholl: Die weiße Rose. Frankfurt a. M. 1953. S. 16–19

6 Ebd., S. 13f

7 Klose, a. a. O., S. 46

8 Franz-Josef Heyen: Nationalsozialismus im Alltag. Boppard 1967. S. 218

9 Klose, a. a. O., S. 46

10 Klönne, a. a. O., S. 45f

11 Klose, a. a. O., S. 51f

12 Klönne, a. a. O., S. 90–92

13 Heyen, a. a. O., S. 213

14 Maschmann, a. a. O., S. 24f, 36, 47f

15 Karl-Heinz Janßen: Eine Welt brach zusammen. In: Glaser/Silenius, a. a. O., S. 89–91

16 Klaus Granzow: Tagebuch eines Hitlerjungen 1943–45. Bremen 1965, S. 7f

17 Walter Tetzlaff: Das Disziplinarrecht der Hitler-Jugend. Entwicklung, gegenwärtiger Stand, Ausgestaltung. Berlin–Leipzig–Wien 1944 (Schriften zum Jugendrecht, Bd. 5). S. 28f

18 Hermann Glaser: Ohne besondere Vorkommnisse. In: Glaser/Silenius, a. a. O., S. 52

19 Janßen, a. a. O., S. 89

20 Otto Barthel: Sie waren noch einmal davongekommen. In: Glaser/Silenius, a. a. O., S. 103f

21 Glaser, a. a. O., S. 58

22 Auszüge aus der Schulfunk-Sendung des Norddeutschen Rundfunks: «Ein Hitler-Junge in der Kinderlandverschickung 1942/43». Autorin: Ruth Herrmann. Erstsendedatum: 4. Dezember 1973. – Wir danken dem NDR für die freundliche Abdruckgenehmigung

23 Granzow, a. a. O., S. 28f

24 Reichsjugendführung (Hg.): Die weltanschauliche Schulung in den Wehrertüchtigungslagern. Berlin 1944

25 Granzow, a. a. O., S. 43, 51f, 55f

26 Ebd., S. 26

27 Zmarzlik, a. a. O., S. 10f

28 Martin Broszat, Elke Fröhlich und Falk Wiesemann (Hg.): Bayern in der NS-Zeit. München 1977. S. 535

29 Ebd., S. 542f

30 Erich Dressler in: Louis Hagen: Geschäft ist Geschäft. Neun Deutsche unter Hitler. Hamburg 1969. S. 77

31 Berwersdorff/Sturhann: Rechenbuch für Knaben und Mädchen – Mittelschulen sowie Anstalten mit verwandten Zielen. Heft 4/5, S. 106f, 111

32 Valentin Senger: Kaiserhofstraße 12. Darmstadt-Neuwied 1978, S. 115f

33 Das Gespräch fand im Januar 1979 statt

34 Broszat/Fröhlich/Wiesemann, a. a. O., S. 107

35 Ebd., S. 105

36 Ebd., S. 108

37 Ebd., S. 110

38 Heyen, a. a. O., S. 245

39 Ebd., S. 241f

40 Ebd., S. 253

41 Ebd., S. 248

42 Ebd., S. 253

43 Broszat/Fröhlich/Wiesemann, a. a. O., S. 149

44 Ebd., S. 150

45 Ebd., S. 161

46 Ilse Staff: Justiz im Dritten Reich. Frankfurt a. M. 1964. S. 183

47 Heyen, a. a. O., S. 291

48 Timothy W. Mason: Sozialpolitik im Dritten Reich. Opladen 1977. S. 165

49 Ebd., S. 166f

50 Broszat/Fröhlich/Wiesemann, a. a. O., S. 226

51 Ebd., S. 227f

52 Mason, a. a. O., S. 168f

53 Timothy W. Mason: Arbeiterklasse und Volksgemeinschaft. Opladen 1975

54 Ebd., S. 238f

55 Ebd., S. 609 f

56 Broszat/Fröhlich/Wiesemann, a. a. O., S. 274

57 Ebd., S. 275

58 Mason, Sozialpolitik ..., a. a. O., S. 229 f

59 Ebd., S. 231

60 Ebd., S. 232 f

61 Mason, Arbeiterklasse ..., a. a. O., S. 861 f

62 Ebd., S. 182

63 Broszat/Fröhlich/Wiesemann, a. a. O., S. 237

64 Mason, Arbeiterklasse ..., a. a. O., S. 309 f

65 Broszat/Fröhlich/Wiesemann, a. a. O., S. 252

66 Ebd., S. 255

67 Mason, Arbeiterklasse ..., a. a. O., S, 459 f

68 Ebd., S. 322 f

69 Ebd., S. 339

70 Broszat/Fröhlich/Wiesemann, a. a. O., S. 268

71 Mason, Arbeiterklasse ..., a. a. O., S. 386

72 Die Dokumente dieses Kapitels sind entnommen aus Broszat/
Fröhlich/Wiesemann, a. a. O., Teil I, S. 39 f, 98, 104 f; Teil III,
S. 334 f, 343 f, 354 f

73 Mason, Arbeiterklasse ..., a. a. O., S. 619

74 Broszat/Fröhlich/Wiesemann, a. a. O., S. 290

75 Ebd., S. 292

76 Dörte Winkler: Frauenarbeit im «Dritten Reich». Hamburg
1977. S. 110 f

77 Die Dokumente dieses Kapitels sind entnommen aus Broszat/
Fröhlich/Wiesemann, a. a. O., Teil II, S. 290 ff

78 Ebd., S. 133 f

79 Heinz Boberach (Hg.): Meldungen aus dem Reich. Auswahl aus
den geheimen Lageberichten des Sicherheitsdienstes der SS
1939–44. Neuwied–Berlin 1965

Die Reihe *rororo aktuell* wird herausgegeben von Frank Strickstrock. Ein Gesamtverzeichnis aller lieferbaren Titel finden Sie in der *Rowohlt Revue*. Vierteljährlich neu. Kostenlos in Ihrer Buchhandlung.

Rowohlt im Internet:
www.rowohlt.de